PORTUGUÊS

Livro do Aluno 1

EDIÇÃO REVISTA E ACTUALIZADA

Autora
Ana Tavares

Direcção
Renato Borges de Sousa

Lidel - edições técnicas, lda

LISBOA - PORTO
e-mail: lidel@lidel.pt
http:/www.lidel.pt (Lidel On-line)
(*site* seguro certificado pela Thawte)

COMPONENTES DO MÉTODO

NÍVEL 1
Livro do Aluno + CD
Caderno de Exercícios
Livro do Professor

Pack
(Livro do Aluno + CD
+ Caderno de Exercícios)

NÍVEL 2
Livro do Aluno + CD
Caderno de Exercícios
Livro do Professor

Pack
(Livro do Aluno + CD
+ Caderno de Exercícios)

NÍVEL 3
Livro do Aluno + CD
Caderno de Exercícios
Livro do Professor

Pack
(Livro do Aluno + CD
+ Caderno de Exercícios)

EDIÇÃO E DISTRIBUIÇÃO

Lidel - edições técnicas, lda

ESCRITÓRIOS: Rua D. Estefânia, 183 r/c Dto., 1049-057 Lisboa
Internet: 21 354 14 18 - livrarialx@lidel.pt
Revenda: 21 351 14 43 - revenda@lidel.pt
Formação/Marketing: 21 351 14 48 - formacao@lidel.pt/marketing@lidel.pt
Ens. Línguas/Exportação: 21 351 14 42 - depinternational@lidel.pt
Fax: 21 357 78 27 - 21 352 26 84
Linha de Autores: 21 351 14 49 - edicoesple@lidel.pt
Fax: 21 352 26 84

LIVRARIAS: LISBOA: Avenida Praia da Vitória, 14, 1000-247 Lisboa – Telef. 213 541 418 - Fax 213 173 259 – livrarialx@lidel.pt
PORTO: Rua Damião de Góis, 452, 4050-224 Porto – Telef. 225 573 510 - Fax 225 501 119 – delporto@lidel.pt

Copyright © Janeiro 2003
Edição revista Abril 2004
Lidel - Edições Técnicas, Lda.

LIVRO
Capa e Paginação: Imagem Final, Lda
Ilustrações: Alexandra Guilhoto
Fotografia: Sílvia Pereira e Filipe Ribeiro
Impressão e acabamento: Rolo & Filhos II, S.A.
Depósito legal n.º 210663/04

CD-ÁUDIO
Execução Técnica: Estúdio Circo a Vapor
Duplicação: MPO (Portugal) Lda.
Vozes: Arlindo Monteiro Costa, Carlos Alvarenga, Célia Bernardo, Eduardo Soares, Elvira Menezes, Fernando Gilberto, Hélder Sanches, Susana de Oliveira, Teresa Manuela José

ISBN: 978-972-757-548-0

PORTUGUÊS XXI

Português XXI – Iniciação destina-se a alunos principiantes ou falsos principiantes. Este primeiro livro cobre as estruturas gramaticais e as áreas lexicais básicas, preparando gradualmente o aluno para se expressar de forma eficaz no presente, no passado e no futuro.

A existência de um Caderno de Exercícios permite que o aluno trabalhe essencialmente as áreas gramaticais e lexicais que surgem nas aulas e poderá ser utilizado em casa, como um trabalho complementar. Assim, logo desde o início, a aprendizagem na aula, tendo o apoio do CD-Áudio, privilegia a oralidade.

O *Português XXI* é um material que tem uma preocupação especial pelo desenvolvimento da compreensão e da expressão oral do aluno em situações reais de fala, pelo que, no final deste nível, o aluno sentir-se-á apto para: dar e pedir informações de carácter pessoal, geral e profissional; fazer perguntas, pedidos e marcações; pedir e dar instruções; fazer descrições; relatar factos passados e da vida quotidiana; fazer planos; dar a sua opinião, discordar ou manifestar acordo; expressar-se nos vários estabelecimentos comerciais.

No final de cada unidade, existe sempre um exercício de carácter fonético para que o aluno tenha a oportunidade de ouvir e praticar os sons em que habitualmente sente mais dificuldade.

Índice Geral

ÍNDICE GERAL

ÍNDICE GERAL

6

ÍNDICE GERAL

Unidade
1

A. Apresentação

1- Leia e ouça o diálogo.

Ler e ouvi

Pablo:	Olá! Como se chama?
Ana:	Chamo-me Ana. E você?
Pablo:	Sou o Pablo.
Ana:	De onde é?
Pablo:	Sou de Madrid. Sou espanhol. Você também é espanhola?
Ana:	Não, sou portuguesa. Sou de Lisboa.

2- Complete com *é* ou *não é*.

Compreensão escrit

O Pablo _____ espanhol.

A Ana _____ de Madrid.

O Pablo _____ de Lisboa.

A Ana _____ portuguesa.

3- Ouça e complete o diálogo.

Compreensão ora

A - Boa _____! _____ o João. Como _____ chama?

B - _____-me Pierre.

A - De _____ é você, Pierre?

B - _____ de Paris. E você?

A - Eu _____ _____ Lisboa.

4- Leia e ouça os diálogos.

Ler; ouvir; relacionar

Relacione as fotografias com os diálogos.

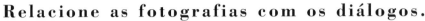

Fotografia n.º _____

A - Olá! Como estás?

B - Bem, obrigado. E tu?

A - Estou bem, obrigada. Até amanhã.

B - Até amanhã.

Fotografia n.º _____

A - Quem é ela?

B - É a minha professora de português.

A - Como é que ela se chama?

B - Chama-se Teresa Martins.

Fotografia n.º _____

A - Boa tarde, Hans. Este é o meu amigo Pedro.

B - Muito prazer. Sou o Hans.

C - És holandês?

B - Não, sou alemão, mas moro em Lisboa. Estudo português numa escola de línguas.

5- Complete como no exemplo.

Países; nacionalidades; línguas

O Hans é *da* Alemanha. *Então, ele é alemão e fala alemão.*

_____ Pedro é _____ Portugal. *Então,* _____

_____ Pablo é _____ Espanha. *Então,* _____

_____ Nadine é _____ França. *Então,* _____ *francesa* _____

_____ Roberto é _____ Brasil. *Então,* _____ *brasileiro* _____

_____ Julie é _____ Estados Unidos. *Então,* _____

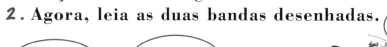

6- 1. Ouça os dois diálogos.

2. Agora, leia as duas bandas desenhadas.

Ouvir e ler

A-

B-

7- Seleccione a resposta adequada para cada pergunta.

Relacionar

1. Como está?
    a. Bem, obrigado.
    b. Muito prazer.
    c. Até amanhã.

4. Como se chama?
    a. Muito prazer.
    b. Sou o Miguel.
    c. Estou bem, obrigada.

2. Este é o Miguel.
    a. Muito prazer.
    b. Adeus.
    c. Até amanhã.

5. Olá!
    a. Viva, como está?
    b. Até amanhã.
    c. Muito prazer.

3. Quem é ele?
    a. É português.
    b. É o director.
    c. É simpático.

6. Bom dia!
    a. Adeus.
    b. Como está?
    c. Bem, obrigado.

Como se chama?	(eu) Chamo-me…
Como é que se chama?	(eu) Sou…
Como é que você se chama?	
Como é que ela se chama? ⟶	(ela) Chama-se…
Como é que ele se chama? ⟶	(ele) Chama-se...
Quem é ela? ⟶	É…
Quem é ele? ⟶	É…
De onde é / és? ⟶	Sou de..

Olá!	Como está?	Muito prazer!
Bom dia!	Como estás?	Muito gosto!
Boa tarde!	Bem, obrigado(a).	

8- Leia o texto. Depois, ouça as perguntas e responda.

Esta é a minha amiga Marta. Ela é portuguesa, de Coimbra. A Marta é secretária e mora em Lisboa.

1._____ Marta.

2._____ secretária.

3._____ Lisboa.

4._____ Coimbra.

5._____ portuguesa.

9- Leia os textos.

Estes são o André e a Mafalda. São os filhos do Dr. Soares. Moram em Sintra com os pais e falam português e italiano.

Este é o Dr. António Soares. Ele é advogado, mas não é português. É brasileiro e mora em Sintra. Ele é de S. Paulo, no Brasil. É casado, mas a mulher não é brasileira. Ela é italiana, mas fala português muito bem.

10- Responda às perguntas.

Compreensão escrit

1 - Onde moram os filhos do Dr. Soares?

_____

2 - Como é que eles se chamam?

_____

3.- Qual é a profissão do Dr. Soares?

_____

4.- Qual é a nacionalidade do Dr. Soares?

_____

5 - A mulher do Dr. Soares também é brasileira?

_____

Esta é...	É casado.
Este é...	Mora em...
Estes são...	Moram em...
	Fala português e italiano.
	Falam português e italiano.

11- _Os números_

Vocabulário: ouvir e repeti

1. Ouça com atenção e repita.

OS NÚMEROS

0-zero, 1-um/uma, 2-dois/duas, 3-três, 4-quatro,

5-cinco, 6-seis, 7-sete, 8-oito, 9-nove, 10-dez, 11-onze,

12-doze, 13-treze, 14-catorze, 15-quinze, 16-dezasseis,

17-dezassete, 18-dezoito, 19-dezanove, 20-vinte

2. Complete como no exemplo.

`Escrever`

Exemplo:

zero - **0**

catorze _____ dez _____ dezasseis_____ dezassete _____

oito _____ quatro _____ sete _____ nove _____

seis _____ dezoito _____ onze _____ três _____

dezanove _____ dois/duas _____ cinco _____

doze _____ quinze _____ treze _____

3. Escreva os números que vai ouvir.

`Compreensão oral`

_____

_____

_____

B. Informações de carácter pessoal

1- Leia os textos e responda às perguntas.

`Compreensão escrita`

A

- Olá! Sou a Brigitte. Sou alemã e sou estudante de português na Universidade. Sou de Berlim, na Alemanha, mas agora moro em Lisboa, na casa de uma família portuguesa, na Rua do Sol, nº 5. Não sou casada; sou solteira. Tenho muitos amigos portugueses.

1. Como é que ela se chama?

_____

_____

2. Qual é a nacionalidade da Brigitte?

_____

_____

3. Ela é casada?

_____

_____

4. A Brigitte tem amigos portugueses?

_____

_____

B 1. De onde é a Cesária?

_____

_____

2. Ela mora em Angola?

_____

_____

3. Qual é a profissão da Cesária?

_____

_____

4. Quantos anos tem ela?

_____

_____

- Olá! Chamo-me Cesária e sou de Angola. Agora moro em Lisboa com a minha família. Sou estudante de Economia e tenho 20 anos.

na Alemanha	sou de Angola
moro em	sou solteira/ casada
moro na rua...	tenho 20 anos

2- Ouça os textos com atenção e complete.

Compreensão ora

A

- Olá! _____ a Brigitte. Sou _____ e _____ estudante de _____ na Universidade. _____ _____ Berlim, na Alemanha, mas agora moro _____ Lisboa, na casa _____ uma família portuguesa na Rua do Sol, nº _____. Não sou casada; sou _____. _____ muitos amigos portugueses.

B

- Olá! Chamo _____ Cesária e _____ de Angola.
Agora _____ em Lisboa _____ a minha família. Sou estudante de _____ e tenho _____ anos.

3- Complete os seguintes textos.

Completa

1.

A

Olá! _____ Miguel. _____ português e _____ em Sintra. Sou médico _____ Lisboa e gosto de jogar ténis. A minha mulher _____ italiana, mas _____ português _____ bem.

B

Bom dia! _____ a nova professora de português e _____ Rita. Eu e a minha família _____ do Porto. Os meus alunos _____ muito simpáticos e são todos _____ .

2. Agora ouça os textos e confirme o que escreveu. | Compreensão oral |

4- Siga o exemplo e responda às perguntas, só com o verbo. | Verbos: **ser, ter, falar, morar** |

> - Você **é** americano?
> - *Sou.*

1. Você é estudante? _____

2. Ela mora em Lisboa? _____

3. Eles são professores? _____

4. Você é casado? _____

5. Você fala português? _____

6. Você tem amigos portugueses? _____

7. Ele é o Dr. Martins? _____

8. Elas são dos Estados Unidos? _____

9. És francês? _____

10. Você é do Brasil? _____

5- Complete as frases com as seguintes profissões. | Vocabulário: profissões |

pintor / polícia / motorista / secretária / jardineiro /
médica / cozinheiro / engenheiro / padeiro /
enfermeiras / carpinteiro / bombeiros / agricultor /
estudante / taxista / empregado de mesa

Ele é _____   Eles são _____

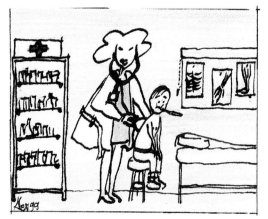

Ela é _____

Ele é _____

Ele é _____

Ele é _____

Elas são_____

Ela é _____

6 - Assinale a frase que ouviu.

Compreensão oral

1. a) Ela é de Portugal.
    b) Ele é de Portugal.

2. a) Como se chama?
    b) Como te chamas?

3. a) Moro em Lisboa.
    b) Mora em Lisboa.

4. a) São da Alemanha.
    b) Sou da Alemanha.

5. a) Como está?
    b) Como estás?

6. a) Você fala português?
    b) Vocês falam português?

7- Seleccione a frase correcta.

`Seleccionar`

1. a) Sou de Portugal.
   b) Sou do Portugal.

2. a) Sou bem, obrigado.
   b) Estou bem, obrigado.

3. a) Berlim é na Alemanha.
   b) Berlim é em Alemanha.

4. a) A Marta é recepcionista.
   b) A Marta és recepcionista.

5. a) Eu estou italiana.
   b) Eu sou italiana.

6. a) Ele chamo-me Matias.
   b) Ele chama-se Matias.

7. a) Eu mora no Porto.
   b) Eu moro no Porto.

8. a) Este é o Manuel.
   b) Este está o Manuel.

8- Simulação

`Falar`

Apresentação: nome, nacionalidade, profissão, morada, línguas que fala, estado civil

a) Apresente-se aos colegas.

b) Faça perguntas a um colega. Estabeleça um diálogo.

c) Apresente o colega aos outros.

d) Selecione um colega e escreva num papel o seu nome, nacionalidade, estado civil e a cidade onde mora. Responda às perguntas dos seus colegas com **Sim** ou **Não**.

Exemplos:

| -Ele é inglês? | -Não, não é. |
| -Ele é advogado? | -É. |

Expressões

Olá!	*Este é...*
Bom dia!	*Esta é...*
Boa tarde!	*Estes são...*
Boa noite!	*Muito prazer!*
Tudo bem?	*Até amanhã!*
Como está?	*Até logo!*
Como estás?	*Boa viagem!*
Bem, obrigado/a.	*Adeus!*

C. Fonética

1- O alfabeto

Ouvir e repetir

1.Ouça e repita.

a - b - c - d - e - f - g - h - i - j-
k - l - m - n - o - p - q - r - s -
t - u - v - w - x - y - z

2.Ouça e repita as palavras.

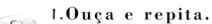

a - África
b - bem
c - Canadá, Coimbra, cinco
d - dois
e - és
f - França
g - gosto
h - Holanda
i - Itália
j - jardineiro
l - Lisboa
m - moro

n - nacionalidade
o - mora
p - polícia
q - quinze, quatro
r - rua
s - seis
t - tem
u - universidade
v - vinte
x - Xangai
z - doze

2- Ditongos e outros sons

Ouvir e repeti

1.Ouça e repita.

ai	- ei	- oi	- ui	-
au	- ao	- eu	- iu	-
ou	- nh	- lh	- ch	

2.

ai-pais
ei-seis
oi-dois
ui-Rui
au-mau
ao-ao

eu-meu
iu-viu
ou-sou
nh-Alemanha
lh-filho
ch-chamo

3- Soletre as palavras e leia-as.

Soletrar palavra

Alemanha	tem
Portugal	têm
casado	prazer
chamas	está
tenho	são
falam	estão
também	este

APÊNDICE GRAMATICAL

1 ## Afirmativa / negativa / interrogativa

Eu moro em Lisboa.
Ela não mora em Londres.
Onde é que você mora?
Onde é que ele mora?
Onde é que ela mora?
És português?

2 ## Nacionalidades

- Qual é a nacionalidade da Brigitte?
- É alemã.

3 ## Profissões

- Qual é a profissão da Cesária?
- É estudante.

4 ## Formas de apresentação

- (Eu) sou...
- (Eu) chamo-me...
- (Ele/ela/você) chama-se...
- Este é o meu professor.
- Esta é a Teresa.
- Muito prazer. Como está?
- Bem, obrigado.

5 ## Números

1 -	um / uma	11 -	onze
2 -	dois / duas	12 -	doze
3 -	três	13 -	treze
4 -	quatro	14 -	catorze
5 -	cinco	15 -	quinze
6 -	seis	16 -	dezasseis
7 -	sete	17 -	dezassete
8 -	oito	18 -	dezoito
9 -	nove	19 -	dezanove
10 -	dez	20 -	vinte

APÊNDICE GRAMATICAL

6 Verbos

SER	
eu	*sou*
tu	*és*
você/ela/ele	*é*
nós	*somos*
vocês/elas/eles	*são*

TER	
eu	*tenho*
tu	*tens*
você/ela/ele	*tem*
nós	*temos*
vocês/elas/eles	*têm*

Exemplos:

Eu *sou* brasileiro.

Ele *é* *da* Noruega.

Lisboa *é* *em* Portugal.

Ela *é* casada.

Exemplos:

Tenho 20 anos.

Temos muitos amigos.

7 Artigos definidos

Artigos definidos		
	masculino	feminino
Singular	**o**	**a**
Plural	**os**	**as**

Exemplos:

O professor.
Os professores.

A professora.
As professoras.

8 Países e Nacionalidades

Ela é de	*Ele é*	*Ela é*	*Eles são*	*Elas são*
Portugal	português	portuguesa	portugueses	portuguesas
(a) Espanha	espanhol	espanhola	espanhóis	espanholas
(a) França	francês	francesa	franceses	francesas
(a) Itália	italiano	italiana	italianos	italianas
(a) Inglaterra	inglês	inglesa	ingleses	inglesas
a Alemanha	alemão	alemã	alemães	alemãs
a Bélgica	belga	belga	belgas	belgas
a Suécia	sueco	sueca	suecos	suecas
a Holanda	holandês	holandesa	holandeses	holandesas
o Brasil	brasileiro	brasileira	brasileiros	brasileiras
os Estados Unidos da América	americano	americana	americanos	americanas
o Japão	japonês	japonesa	japoneses	japonesas
Angola	angolano	angolana	angolanos	angolanas
Moçambique	moçambicano	moçambicana	moçambicanos	moçambicanas

Unidade 2

A. Localizar

1- Procure na imagem e identifique com os números.

1	uma rua	**9**	um supermercado
2	um prédio	**10**	os correios
3	uma farmácia	**11**	um cinema
4	um jardim	**12**	um carro
5	uma pastelaria	**13**	uma paragem de autocarros
6	uma escola	**14**	uma passadeira
7	um banco	**15**	uma avenida
8	um hotel		

2- **Junte os elementos das duas colunas e siga o exemplo.**

Verbos: **haver**; vocabulário

> O que **há** no jardim?
> - **No** jardim **há** árvores.

- *nos correios*
- *na escola*
- *na pastelaria*
- ***na farmácia***
- *no supermercado*
- *na rua*
- *no cinema*
- *no banco*

- *medicamentos*
- *leite*
- *filmes*
- *cheques*
- *selos*
- *bolos*
- *alunos*
- *carros*

1- O que há na farmácia?

Na farmácia há

2- _____ ?

3- _____ ?

4- _____ ?

5- _____ ?

6- _____ ?

7- _____ ?

8- _____ ?

3- **Ouça os diálogos.**

Compreensão oral

A

A - Desculpe. Onde é que fica o Hotel Lisboa?

B - O Hotel Lisboa é ali, ao lado da pastelaria.

A - Obrigado.

B - De nada.

B

A - Desculpe. Podia dizer-me onde há um supermercado?

B - Há um supermercado ali em frente do jardim.

A - Muito obrigada.

B - De nada.

4 - Olhe para o desenho da cidade
   e faça frases como no exemplo.

Locuções prepositivas de lugar; falar

- Onde é que fica o hotel?
- O hotel fica **ao lado da** pastelaria.

em frente de
ao lado de
entre
atrás de
debaixo de
em cima de
dentro de

Compreensão escrit;

5 - Relacione.

1.

vinte e cinco	54		sessenta e seis	100
trinta	42		setenta e oito	66
trinta e três	25		oitenta e um	81
quarenta	40		noventa e nove	99
quarenta e dois	30		cem	120
cinquenta e quatro	33		cento e vinte	78

Ouvir e escrever

2. Ouça e escreva os números.

_____
_____
_____
_____
_____
_____
_____
_____
_____
_____

6-

> *O que é **isto**?*
> *O que é **isso**?*
> *O que é **aquilo**?*

1. **Faça perguntas e responda como no exemplo com o vocabulário da sala de aula.**

porta / janela / mesa / cadeira / estojo / pasta / lápis / borracha / livro / dicionário / quadro / parede / chão / planta ...

Exemplo:

> O que é **isto**?
> **Isso** é uma caneta.

2. **Agora localize os objectos da sua sala de aula.**

Exemplo:

> Onde **está** a borracha?
> Está **dentro do** estojo.

7- Olhe para este escritório. Há <u>três</u> erros na descrição do escritório. Quais são?   `Compreensão escrit`

- O candeeiro está *entre* a estante e o sofá.
- O sofá está *ao lado do* candeeiro.
- Este escritório tem uma secretária.
- *Em cima da* secretária há um computador.
- Não há livros neste escritório.
- A planta está *ao lado da* cadeira.
- Este escritório tem cadeiras.

- Não há um candeeiro no escritório.
- Há três quadros na parede *atrás do* sofá.
- O escritório tem uma carpete no chão.
- A estante tem muitos livros.
- Há um cesto de papéis *debaixo da* secretária.
- *Atrás da* cadeira há uma janela.

8- Faça frases sobre a sua sala.   `Fala`

Exemplos:

Nesta sala *há* uma janela.
Nesta sala não *há* uma televisão.
Ao lado da janela *há* uma planta.

9- Complete as frases com os verbos dados.

Gramática: **Presente do Indicativo**: verbos – ar

trabalh**ar**   brinc**ar**   compr**ar**

fal**ar**   gost**ar** (de)   tom**ar**

jog**ar**   estud**ar**   toc**ar**

Eu _____ futebol no estádio todos os dias.

Tu _____ piano.

Você _____ o pequeno-almoço no hotel.

Ele _____ de apartamentos perto do mar.

Ela _____ em frente dos correios.

Nós _____ fruta no mercado.

Vocês _____ matemática.

Eles _____ inglês e português.

Elas _____ no jardim.

B. Descrever

1- Utilize o dicionário e procure pares **antónimos**.

Vocabulário: **adjectivos**

caro   fácil   sujo   barato   baixo   difícil   limpo   frio

grande   velho   pequeno   correcto   novo   errado   alto   quente

antónimos

limpo ≠ sujo

_____   _____

_____   _____

_____   _____

2- Leia as frases com atenção.

Gramática: **ser e estar**

1. Eu **sou** de Berlim, mas agora **estou** em Lisboa.

2. A sala **é** grande e **está** limpa.

3. Este café **é** bom e **está** quente.

4. O apartamento **é** caro, mas **é** muito grande.

5. Hoje **está** frio, mas este casaco **é** quente.

3- Escreva uma frase para cada figura, utilizando um adjectivo do exercício anterior e os verbos *ser* ou *estar*.

Gramática: **ser e esta**

Atenção: em português os adjectivos são <u>variáveis</u> e dependem do nome.

a. A sala *está limpa.*

b. A sala *está suja.*

c. O teste _____

d. O teste _____

e. A casa _____

f. A casa _____

g. A conta _____

h. A conta _____

 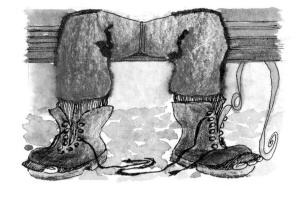

i. Os sapatos _____

j. As botas _____

l. O empregado _____

m. O empregado _____

n. A água _____

o. A água _____

p. O vestido _____

q. O vestido _____

4- A casa

Vocabulário

1. **Identifique as fotografias.**

	cozinha
	casa de banho
	quarto
	sala
	escritório
	varanda

2. **Em que partes da casa encontramos...?**
   Escreva os nomes das partes da casa na caixa correcta.

cama mesas de cabeceira roupeiro cómoda

secretária cadeira estante telefone

mesa sofá televisão cadeiras

frigorífico fogão lava-loiça máquina de lavar roupa

lavatório sanita espelho banheira

5-

1. **Ouça o texto e depois leia.**

O João é de Faro, mas agora está em Lisboa. Ele é engenheiro e mora longe do trabalho. A casa do João fica no centro da cidade, perto do rio. A casa não é grande, mas é bonita: tem dois quartos (um é grande, mas o outro é pequeno), uma sala com duas janelas e uma varanda. A cozinha fica entre a sala e o quarto pequeno. Em frente da sala há uma casa de banho. O outro quarto fica ao lado da sala. No meio há um corredor muito largo.

A casa do João fica atrás da estação de metro e do mercado. A rua é estreita e muito tranquila.

2. Responda oralmente.

Compreensão escri

a.   Onde está o João?

b.   Qual é a profissão do João?

c.   Onde fica a casa dele?

d.   Como é a casa?

e.   Quantos quartos tem a casa do João?

3. **Ouça o texto outra vez e complete os espaços em branco.**

Compreensão or

O João é de Faro, mas agora está em Lisboa. Ele é engenheiro e mora longe do trabalho. A casa do João fica no centro da cidade, perto do rio. A casa não é grande, mas é bonita: tem dois _____ (um é grande, mas o outro é pequeno), uma _____ com duas _____ e uma _____ . A _____ fica entre a _____ e o _____ pequeno. Em frente da _____ há uma _____ . O outro _____ fica ao lado da sala. No meio há um _____ muito largo.
A casa do João fica atrás da estação de metro e do mercado. A rua é estreita e muito tranquila.

6- **O Pedro encontra uma amiga na rua. Complete o diálogo.**

Completar diálog

A - Olá, Mariana. Por aqui ?

B - Olá, Pedro! _____ estás?

A - Bem, _____. Agora moras aqui, nesta rua?

B - Sim. _____ naquele prédio ali.

A - Qual _____ ?

B - Aquele ali, _____ _____ da pastelaria.

A - Ah, sim. O teu apartamento _____ grande?

B - Sim, _____ muito grande: tem quatro _____, _____ sala e uma varanda bonita. Também tenho uma _____ e duas _____ de banho.

Agora ouça o diálogo e corrija-o.

Compreensão ora

7- Leia o anúncio.

APARTAMENTO
Bonito apartamento junto ao mar
Três quartos grandes, uma sala, uma cozinha e duas casas de banho.
Todos os quartos têm janelas para a praia e a sala tem uma janela larga para o jardim.
Fica perto do parque infantil e ao lado dos correios.

Bom preço.

21 234 56 78

a) Quantos quartos tem o **seu** apartamento?

b) Descreva o **seu** apartamento / a **sua** casa.

8-

1. Antes de ler o texto, ouça a descrição do quarto da Sara.

O meu quarto fica ao lado do quarto dos meus pais e em frente da casa de banho. O meu quarto não é grande, mas eu gosto muito dele. A minha cama fica em frente da janela. À esquerda da cama há uma mesa de cabeceira e em cima dela há um candeeiro. No chão há um tapete com muitas cores. À direita da cama tenho o meu roupeiro e uma estante com muitos livros. Na parede em frente da cama fica a minha secretária. Em cima da secretária tenho muitos lápis, canetas e o meu computador. Ah! As paredes são brancas e tenho dois quadros muito giros pendurados. Adoro o meu quarto.

2. Este é o quarto da Sara.
Coloque os móveis no quarto dela.

3. Este é o seu quarto.
Agora descreva o seu quarto para o seu colega desenhar os
móveis dentro dele.

Fala

9 - No Hotel

1. Ouça o diálogo.

Compreensão oral: reservar um quarto

A - Bom dia, faça o favor de dizer?

B - Bom dia, queria um quarto individual
com casa de banho.

A - Quantas noites fica?

B - Fico duas noites.

A - Com certeza. Temos um bom quarto no 1º
andar. Aqui tem a chave. Toma o
pequeno-almoço?

B - Tomo, sim. Obrigado.

2. Faça um diálogo com um colega, tendo o anterior como
exemplo.

Fala

Expressões

Desculpe, onde fica…?	Faça o favor de dizer.
Obrigado/a.	Queria…
De nada.	Com certeza.

C. Fonética

Vamos praticar os sons das letras b, v e f.

1- Ouça e repita.

b	v	f
bom	**v**aranda	**f**ácil
Lis**b**oa	**v**inte	**f**alo
Bélgica	no**v**a	pro**f**essor
bem	ad**v**ogado	**f**amília
bom**b**eiro	a**v**enida	di**f**ícil

2- Agora ouça e repita as frases.

- O **b**om**b**eiro tra**b**alha em Lis**b**oa.
- A **V**anda **v**isita a a**v**ó.
- **F**alar é **f**ácil.

APÊNDICE GRAMATICAL

1 Números

21 - vinte e um	40 - quarenta
22 - vinte e dois	50 - cinquenta
23 - vinte e três	60 - sessenta
....	70 - setenta
30 - trinta	80 - oitenta
31 - trinta e um	90 - noventa
....	100 - cem

2 Interrogativos

Onde fica o hotel?
De onde és?
Qual é a sua nacionalidade?
Como é a casa dele?
O que é isso?
Quantos quartos tem a sua casa?
Quem é ela?

3 Locuções de lugar

A minha casa fica **ao lado da** escola.
A escola é **em frente da** farmácia.
O hospital fica **atrás da** casa.
Há um restaurante **entre** a casa e a escola.
O lápis está **debaixo da** mesa.
A caneta está **dentro do** estojo.

APÊNDICE GRAMATICAL

4   Verbos (Presente do Indicativo)

ESTAR	
eu	*estou*
tu	*estás*
você/ela/ele	*está*
nós	*estamos*
vocês/elas/eles	*estão*

HAVER
há

Exemplos:

> Eu *estou* em Lisboa.
> A sala *está* suja.
> Os livros *estão* em cima da mesa.

Exemplos:

> Onde *há* árvores?
> *Há* uma farmácia nesta rua?

Verbos regulares

FAL**AR**	
eu	fal**o**
tu	fal**as**
você/ela/ele	fal**a**
nós	fal**amos**
vocês/elas/eles	fal**am**

5   Artigos indefinidos

	Artigos indefinidos	
	masculino	feminino
Singular	*um*	*uma*
Plural	*uns*	*umas*

Exemplos:

> Eu tenho *um* quarto grande.
> Temos *uns* amigos ingleses.

> Tens *uma* caneta?
> Esta cidade tem *umas* casas muito antigas.

APÊNDICE GRAMATICAL

 Pronomes demonstrativos (invariáveis)

isto (aqui)
isso (aí)
aquilo (ali)

Exemplos:

Isto aqui é a casa de banho.
O que é *isso* aí?
Aquilo ali é uma varanda.

 Adjectivos

A sala está limp*a*.
O quarto também está limp*o*.
As enfermeiras são simpátic*as*?
Os exercícios estão correct*os*?

mas

A sala é grand*e*.
O quarto é grand*e*.

Unidade

3

A. Queria ...

1- Diálogo no café

Empregada: Bom dia. Faça favor.

Cliente: Bom dia. Queria um galão, uma torrada e um copo de água.

Empregada: O galão é escuro ou claro?

Cliente: Escuro. E queria a torrada com pouca manteiga, por favor.

Empregada: Muito bem.

. . .

Empregada: Aqui está.

Cliente: Pago já. Quanto é?

Empregada: São 2,14€ (dois euros e catorze cêntimos).

2- As refeições

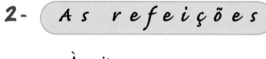

À noite
Boa noite!

De manhã
Bom dia!

7:00 – 8:30
o pequeno-almoço

19:30 – 21:00
o jantar

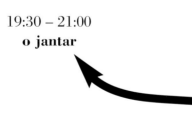

À tarde
Boa tarde!

12:00 – 14:00
o almoço

3- Coloque as palavras do quadro na coluna correcta.

Vocabulário: comida e bebidas

cereais   açúcar   manteiga   arroz   legumes   bife
chá   pão   leite   sopa   peixe   torrada   batatas fritas
sandes   doce   fiambre   salada   vinho   massa
fruta   iogurte   sumo de laranja   café   queijo   frango

Ao pequeno-almoço	Ao almoço	Ao jantar

4- O que é que normalmente come e bebe ao pequeno-almoço? E ao almoço?

Falar

- "Ao pequeno-almoço como ...... e bebo ......"

5- Complete o quadro com as formas dos verbos.

Presente do Indicativo: verbos regulares e verbos reflexos

Presente do Indicativo			
Verbos regulares			Verbos reflexos
trabalh**ar** estud**ar** mor**ar** jog**ar** toc**ar**	com**er** beb**er** compreend**er** viv**er** escrev**er**	abr**ir** part**ir** prefer**ir** vest**ir** repet**ir**	lembrar-**se** levantar-**se** deitar-**se** esquecer-**se** vestir-**se**
-ar	**-er**	**-ir**	
eu			
tu			
você			
ela/ele			
nós			
vocês			
elas/eles			

6- **Ligue os elementos e faça frases correctas.**

Nós	deitam-se	basquetebol.
A senhora	escreve	açúcar no café?
Eles	trabalhas	às 8 da manhã.
Ele	moro	o exercício.
Tu	aprendemos	numa empresa.
Você	deseja	uma carta.
Eu	levanta-se	uma salada.
Elas	fuma	muito tarde.
Ela	jogam	um cigarro.
Vocês	repete	russo.
O senhor	comem	em Lisboa.

7- *As horas*

	QUE HORAS SÃO?		
	São duas horas.		São duas e um quarto. *ou* São duas e quinze.
	É uma hora.		É uma e meia. *ou* É uma e trinta.
	É meio-dia. É meia-noite.		São duas e quarenta. *ou* São vinte para as três.

Agora você. Que horas são?

	QUE HORAS SÃO?		

B. O dia - a - dia

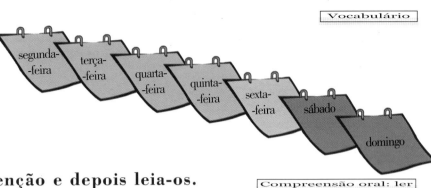

Vocabulário

A semana

1-

1. Ouça os textos com atenção e depois leia-os.

Compreensão oral: ler

Texto A

O Pedro levanta-se às 7:00, toma um duche, veste-se e às 7:45 senta-se para comer. Ele toma o pequeno-almoço sempre em casa. Come sempre pão com manteiga e doce e bebe café com leite sem açúcar.
O Pedro é economista e entre as 9:00 e as 13:00 trabalha numa empresa no centro da cidade. Às 13:15 almoça com os colegas num restaurante perto do trabalho. Às terças e quintas às 18:00 tem aulas de inglês numa escola de línguas. À noite chega a casa e prepara o jantar. Janta às 20:00 e deita-se sempre às 22:00. Ao sábado de manhã, o Pedro vai às compras e à tarde limpa a casa. Ao sábado à noite, ele sai com os amigos e deita-se tarde. Ao domingo, ele só se levanta às 11 horas e almoça em casa dos pais.

Texto B

A Isabel é médica num hospital nos arredores de Lisboa. É casada e tem dois filhos. Durante a semana, a Isabel levanta-se às 6:45, toma um duche, veste-se e prepara o pequeno-almoço para todos. O marido leva as crianças à escola e ela começa a trabalhar às 9:00. Às segundas, quartas e sextas às 13:00 a Isabel come normalmente só uma sandes e bebe um sumo, porque tem de estar cedo no consultório. Às terças e quintas à tarde, a Isabel tem ginástica.
À noite toda a família janta às 20:15 e todos conversam. As crianças deitam-se cedo, mas os pais nunca se deitam antes das 23:00. Depois do jantar, eles gostam de ler um livro ou ver televisão. Eles passam o fim-de-semana numa casa que têm perto do mar. Lá, eles descansam, andam de bicicleta e, às vezes, vão à praia.

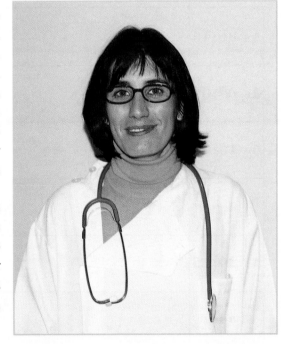

2. Complete estes horários com as informações dos textos.

Completar horári

O Pedro

	2.ª feira	3.ª feira	4.ª feira	5.ª feira	6.ª feira	sábado	domingo
Das 7:00 às 8:00	- *levanta-se* - -						- *Levanta-se tarde*
Das 9:00 às 13:00							
Às 13:15							
Às 18:00		- *tem aulas de inglês*					
Às 20:00							
Às 22:00		- *deita-se*					

A Isabel

	2.ª feira	3.ª feira	4.ª feira	5.ª feira	6.ª feira	sábado domingo
Às 06:45						- *vai para casa perto do mar*
Às 09:00						
Às 13:00		- *almoça*				- *anda de bicicleta*
À tarde						- *descansa*
Às 20:15						
À noite						- *às vezes vai à praia*

3. **Responda. A que horas é que...**

✎ o Pedro se levanta?   *Levanta-se às 7:00 horas.*

✎ o Pedro toma o pequeno-almoço?

✎ o Pedro almoça?

✎ o Pedro janta?

✎ o Pedro se deita?

✎ o Pedro normalmente se levanta ao domingo?

Atenção

> **A** que horas...?
> **à** 1 hora
> **à** meia-noite
> **às** 2 horas
> **ao** meio-dia

4. **Ouça novamente o texto B e complete as frases.**

 B

A Isabel é _____ num hospital nos arredores _____ Lisboa. É _____ e _____ dois filhos. Durante a semana, a Isabel _____ às 6:45, _____ um duche, veste-se e prepara o _____ para todos. O marido leva as _____ à escola e ela começa a _____ às 9:00. Às segundas, _____ e sextas, _____ 13:00, a Isabel come normalmente só uma sandes e _____ um sumo, porque _____ de estar cedo no consultório. Às terças e _____ à tarde, a Isabel _____ ginástica. À _____ toda a família janta _____ 20:15 e todos conversam. As crianças _____ cedo, mas os pais nunca _____ _____ antes das 23.00. Depois do _____, eles gostam de ler um _____ ou ver televisão. Eles passam o fim-de-semana numa casa que _____ perto do mar. Lá, eles descansam, andam de bicicleta e, às vezes, vão à _____.

5. **Ligue A com B de modo a formar uma frase.**

A	B
1. Durante a semana	a. ler um livro ou ver televisão.
2. A Isabel prepara	b. a Isabel tem ginástica.
3. O marido	c. a Isabel levanta-se às 6:45.
4. Às terças e quintas à tarde	d. leva as crianças à escola.
5. Eles gostam de	e. o pequeno-almoço para todos.

2- Descreva o dia a dia do Sr. Saraiva. Utilize os verbos: | Conjugar verbo |
levantar-se, tomar, preparar, sair, apanhar, trabalhar,
almoçar, deitar-se; ir; chegar(a); jantar.

1. _____
_____

2. _____
_____

3. _____
_____

4. _____
_____

5. _____
_____

6. _____
_____

7. _____
_____

8. _____
_____

9. _____
_____

10. _____
_____

11. _____
_____

12. _____
_____

13. *À noite, depois do jantar, ele e a mulher vêem televisão.*

14. _____
_____

3- Fale sobre o seu dia a dia e sobre o seu fim-de-semana. | Fala |
Agora faça perguntas a um colega ou ao professor.

4-

1. Leia o texto.

Ler o texto

Os portugueses levantam-se normalmente entre as 7:30 e as 8:30. Muitos tomam o pequeno-almoço em casa: pão com manteiga e doce ou queijo e café com leite. Outros tomam o pequeno-almoço numa pastelaria: um bolo e um café, por exemplo.

Começam a trabalhar por volta das 9 horas. Ao almoço, as pessoas que não têm tempo de ir a casa almoçar comem num restaurante perto do trabalho.

O jantar é entre as 8 e as 9 horas e normalmente é uma refeição completa.

Os portugueses não se costumam deitar cedo.

2. Verdadeiro *ou* falso?

Compreensão do texto

a - Todos os portugueses tomam o pequeno-almoço em casa.

b - Normalmente os portugueses levantam-se depois das 8 horas.

c - Muitos portugueses não almoçam em casa.

d - Ao jantar, os portugueses comem pão com manteiga e bebem café com leite.

e - Os portugueses costumam deitar-se às 9:30.

3. Como é no seu país?

Falar

5- Faça frases com os elementos das duas colunas como no exemplo.

Exemplo:

Formar frases: **verbos regulares**

Eu **tomo** um **duche**.

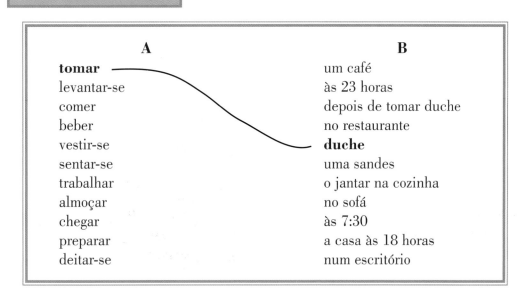

A	B
tomar	um café
levantar-se	às 23 horas
comer	depois de tomar duche
beber	no restaurante
vestir-se	**duche**
sentar-se	uma sandes
trabalhar	o jantar na cozinha
almoçar	no sofá
chegar	às 7:30
preparar	a casa às 18 horas
deitar-se	num escritório

6- Responda com o verbo como no exemplo.

> - **Tomas** o pequeno-almoço em casa?
> - **Tomo**.

-Ele toma um duche de manhã?

-Trabalha em casa?

-Come pão com manteiga ao pequeno-almoço?

-Levanta-se cedo?

-Vocês tomam café à noite?

-Ela come sopa ao jantar?

-Vocês comem sobremesa?

-Vestes-te no quarto?

-Ela abre a porta de casa?

-Vocês preferem beber chá?

7- Agora faça perguntas ao seu colega com os verbos:

comer	levantar-se
abrir	preferir
estudar	fumar
tomar	lembrar-se (de)
beber	deitar-se
compreender	gostar (de)

8-

 1. Primeiro ouça e depois leia o diálogo.

No restaurante

A - Boa tarde.

B - Boa tarde.

A - Têm mesa reservada?

B - Não, não temos.

A - Bem, a esta hora não há problema. Preferem esta mesa ou aquela ali perto da janela?

B - Eu prefiro aquela perto da janela.

C - Sim, sim. Também acho.

A - Então, façam favor. Aqui têm a lista.

B - Obrigada.

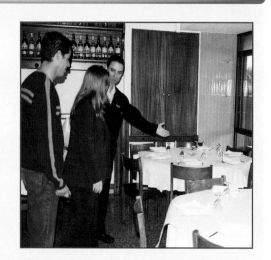

RESTAURANTE LARA

Ementa

Sopas:

Caldo verde . . . . .1€

Sopa de legumes . . . . .1€

Peixes:

Omeleta de camarão com salada . . . . .9,50€

Filetes de pescada com arroz de tomate . . . . .9€

Sardinhas assadas . . . . .9€

Bacalhau cozido com batatas . . . . .8,50€

Carnes:

Febras com batatas fritas . . . . .7,50€

Costeletas com batatas fritas e salada . . . . .8,50€

Bife grelhado com arroz .9€

Frango assado no forno . . . . .8,75€

Sobremesas:

Queijo da Serra . . . . .4,25€

Mousse de chocolate .1,75€

Pudim de ovos . . . . .2€

Fruta da época . . . . .1,50€

C - Olhe eu queria uma sopa de legumes e uma dose de sardinhas assadas. E tu?

B - Eu prefiro um caldo verde e uma dose de frango assado.

A - E para bcbcr?

B - Eu bebo uma água mineral sem gás.

A - Fresca?

B - Não, não. Natural.

A - Com certeza. E o senhor?

C - Eu bebo uma imperial.

2. **Junte A + B de modo a formar uma frase:**

A	B
1. Preferem esta ou	a. pudim flan.
2. Queria uma dose	b. com gás e fresca.
3. Queria uma	c. de bacalhau cozido.
4. Também queria	d. água mineral com gás.
5. Uma água	e. aquela mesa perto da porta?
6. Eu prefiro um	f. uma imperial.

3 - Imagine que está no restaurante.
Leia a lista e faça um diálogo com o empregado.

`Fala`

9 - Ouça e leia os diálogos e use o vocabulário alternativo para novos diálogos.

A Na pastelaria

`Ouvir, ler e fala`

A - Faça favor.
B - Queria uma bica e um pastel de nata, por favor.
A - Aqui está.
B - Quanto é?
A - É 1 euro e 50 (cêntimos).
B - Faça favor.
A - Não tem os 50 cêntimos?
B - Humm… Tenho sim.
A - Obrigado.
B - Até amanhã!
A - Até amanhã e muito obrigado!

Vocabulário alternativo:
- galão
- chá
- sandes de fiambre
- sumo de laranja natural
- uma água com gás
- um bolo

B Na papelaria

`Ouvir, ler e fala`

A - Bom dia.
B - Bom dia. Olhe, queria dois envelopes e uma
caneta azul.
A - Gosta desta?
B - Gosto, essas escrevem bem.
A - É tudo?
B - Não, também queria esta revista. Quanto é tudo?
A - Um momento. São 7 euros.
B - Faça favor.
A - Muito obrigado e um bom dia.
B - Bom dia.

Vocabulário alternativo:
- jornal
- borracha
- lápis
- bloco A4
- caderno
- caixa de lápis de cor

10-

Atenção

Normalmente

> eu leio o jornal,
> tu ouves música,
> ele joga futebol,
> nós ouvimos as notícias,
> eles brincam com os colegas,

mas agora

> **estou a ler** um livro.
> **estás a ver** televisão.
> **está a jogar** ténis.
> **estamos a ouvir** música.
> **estão a brincar** com os amigos.

Falar

O que é que *está/estão a fazer?*

11- Junte as frases utilizando *e* ou *mas*.

Usar **e** ou **ma**

1. Gosto de queijo. Não gosto de queijo sem pão.

2. Como pão com fiambre. Bebo chá com açúcar.

3. Os portugueses jantam tarde. Os espanhóis jantam ainda mais tarde.

4. Tenho ginástica às terças e quintas. Tenho aulas à sexta-feira.

5. Gosto de carne. Prefiro peixe.

6. Queria uma bica. Queria um bolo.

Expressões

É tudo.	Que horas são?
Aqui está.	Olhe, queria…
Pago já.	Queria...
Quanto é?	Eu prefiro…
Quanto é tudo?	Também acho.
Muito bem.	O que é que eles estão a fazer?

C. Fonética

Vamos praticar os dois sons da letra r.

Ouça e repita as palavras:

rápido	ca**r**o
a**rr**oz	fala**r**
ca**rr**o	t**r**ês
Rui	cato**r**ze
riso	pe**r**gunta
co**rr**o	t**r**oco
bo**rr**acha	ho**r**as
co**rr**ecto	qua**r**to

APÊNDICE GRAMATICAL

1 Presente do Indicativo - verbos regulares

	-ar	-er	-ir
eu	*-o*	*-o*	*-o*
tu	*-as*	*-es*	*-es*
você/ela/ele	*-a*	*-e*	*-e*
nós	*-amos*	*-emos*	*-imos*
vocês/elas/eles	*-am*	*-em*	*-em*

Nota: os verbos **vestir, despir, sentir, preferir, conseguir** mudam o **e** para **i** na 1ª pessoa do singular: eu visto; eu dispo; eu sinto; eu prefiro; eu consigo.

2 Verbos reflexos: **sentar-se; levantar-se; deitar-se; vestir-se; despir-se; lembrar-se; esquecer-se...**

eu	sento-me
tu	sentas-te
você/ela/ele	senta-se
nós	sentamo̶s̶-nos
vocês/elas/eles	sentam-se

Nota: os pronomes reflexos ficam antes do verbo depois de: ***pronomes interrogativos; já; ainda; também; só; não; nunca; que; onde; todos...***

Exemplos:

Ela ***deita-se*** muito cedo.   *mas*   Ela nunca ***se deita*** cedo.
Eles ***vestem-se*** depressa.   *mas*   Onde é que eles ***se vestem***?

3 *estar a* + Infinitivo

Usa-se para acções que acontecem no momento em que falamos.

Agora/ Neste momento

Eu	***estou a estudar*** português.
Tu	***estás a ler*** um livro.
Você/Ela/Ele	***está a ver*** televisão.
Nós	***estamos a correr.***
Vocês/Elas/Eles	***estão a jogar*** futebol.

APÊNDICE GRAMATICAL

 4 Preposições de tempo

Dias da semana: (habitual) **_ao_** domingo   ***(pontual)*** **_no_** domingo
                                      _ao_ sábado   **_no_** sábado
                                        _à_ segunda-feira   **_na_** segunda-feira

Partes do dia: **_de_** manhã
                                     _de/à_ tarde
                                     _à_ noite
                                     _de_ noite

Horas: **_à_** uma hora; **_à_** meia-noite; **_ao_** meio-dia; **_às_** duas horas

5 Números

   101 - cento e um
   200 - duzentos
   300 - trezentos
   400 - quatrocentos
   500 - quinhentos
   600 - seiscentos
   700 - setecentos
   800 - oitocentos
   900 - novecentos
1000 - mil

UNIDADE DE REVISÃO 1

1. Preencha os espaços com os verbos na forma adequada.

1. Ela (ser) _____ casada, mas eu _____ solteira.
2. (morar) _____ em Lisboa e a minha casa (ser) _____ muito grande.
3. A Ingrid (ser) _____ da Noruega.
4. Eles (falar) _____ muitas línguas estrangeiras.
5. O Pedro e o Manuel (comprar) _____ livros e discos frequentemente.
6. (tu) (aceitar) _____ um café?
7. A Laura (escrever) _____ muitos postais e cartas aos amigos.
8. Nós (decidir) _____ fazer férias, porque (estar) _____ muito cansados.
9. A filha da Maria (ter) _____ nove anos e (chamar-se) _____ Rita.
10. A Rita (gostar) _____ de brincar no parque em frente da casa.
11. Eles (beber) _____ muitos cafés por dia.
12. De manhã eu (levantar-se) _____ às 7:00 e à noite nunca (deitar-se) _____ antes da meia-noite.
13. O Ralph (ser) _____ da Alemanha, mas (viver) _____ no Alentejo.
14. Eu (partir) _____ às 11:15 para Nova Iorque.

2. Ponha as palavras na ordem correcta.

1. português é A fala Susan Inglaterra da mas

   _____

2. tens Quantos anos?

   _____

3. Ela os todos deita-se dias tarde

   _____

4. O sr. no é português e Fonseca mora Brasil

   _____

5. me domingo nunca cedo Ao levanto

   _____

6. Portugal e trabalha é A Marianne alemã em

   _____

7. José Como do se é que a chama mãe?

   _____

8. regulares nós Hoje a verbos estamos estudar os

   _____

9. horas As às aulas nove começam

   _____

3. Faça as perguntas adequadas a estas respostas.

1. _____
Sim, tenho amigos em Portugal.

2. _____
Levanto-me sempre às 6:30.

3. _____
Sou de Bruxelas.

4. _____
São 2 euros e 40 cêntimos.

5. _____
Sim, lembro-me muito bem do Raul.

6. _____
O hotel fica ao lado dos correios.

7. _____
Tenho 20 anos.

8. _____
Agora vivo em Lisboa.

9. _____
A Marta é a irmã do José.

10. _____
Chamo-me Sara.

4. Escolha a resposta correcta.

1. Como está?
2. Como se chama?
3. Qual é a tua nacionalidade?
4. De onde é?
5. Qual é a sua profissão?
6. Quantos anos tem?
7. Que horas são?
8. O que é que toma ao pequeno-almoço?
9. Quais são os dias da semana?
10. Que dia é hoje?

a. Hoje é quarta.
b. Sou médica.
c. Só um copo de leite frio.
d. Bem, obrigada.
e. Chamo-me Paula Costa.
f. Sou portuguesa.
g. Sou de Setúbal.
h. Tenho vinte e três.
i. São dez e meia.
j. Segunda, terça, quarta, quinta, sexta, sábado e domingo.

5. Diga: a) O que é que fazem aos sábados à noite?
   b) O que é que estão a fazer agora?

a) Ele _____
b) _____

a) Eles _____
b) _____

a) Ele *vê* um jogo de futebol.
b) Agora ele *está a ver* um jogo de futebol.

a) Eles _____
b) _____

a) Eles _____
b) _____

a) Elas _____
b) _____

6. Que horas são?

7:00	8:45	9:15	9:50
São _____ _____	_____ _____	_____ _____	_____ _____

10:22	12:10	17:20	20:50
_____ _____	_____ _____	_____ _____	_____ _____

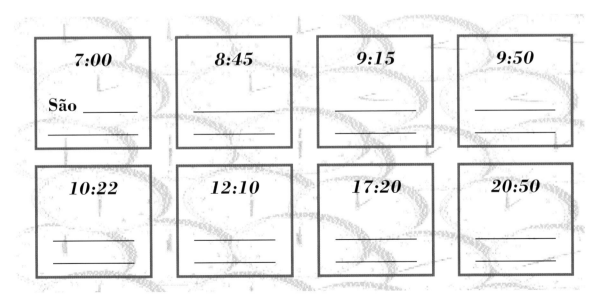

7. Encontre a lógica desta série de números e acrescente o número a seguir em cada fila.

três	seis	nove	doze	_____
vinte e um	vinte e quatro	vinte e sete	trinta	_____
dez	vinte	trinta	quarenta	_____
trinta e dois	quarenta	quarenta e oito		_____
quinze	vinte	vinte e cinco		_____

8. Qual é a palavra que não tem relação com o grupo?

estudante
professor
médico
mesa
secretária

cama
mesa de cabeceira
fogão
cómoda
roupeiro

leite
sumo
café
pão
cerveja

compras
trabalhas
vendes
sou
decides

9. Leia o diálogo e depois preencha o impresso.

- A senhora é americana?
- Sou, sim. Sou de Denver, nos Estados Unidos.
- Qual é o seu nome?
- Chamo-me Helen Rockfeller.
- É casada?
- Não, não. Sou divorciada.
- Qual é a sua profissão?
- Sou jornalista.
- Quantos anos tem?
- Tenho 50 anos.

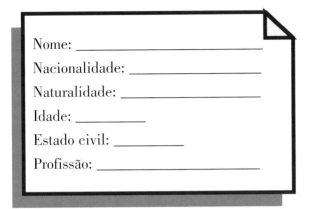

Nome: _____

Nacionalidade: _____

Naturalidade: _____

Idade: _____

Estado civil: _____

Profissão: _____

10. Agora preencha este impresso com os seus dados pessoais (ou de um amigo/a).

Nome: _____

Nacionalidade: _____

Naturalidade: _____

Data de Nascimento: ___ / __ / ____

Estado civil: _____

Profissão: _____

11. São 11 horas da manhã e você vai ao café.
    O que pede?
    Faça um diálogo com o empregado. Pode escolher palavras da lista dada.

Menu

PARA COMER

sandes { de fiambre
        { de queijo

tosta
sandes mista
torrada
sandes de presunto
bolo
empada
rissol

PARA BEBER

café
garoto
carioca
galão
chá
sumo de laranja
copo de leite

Empregado: Bom dia.
Você: Bom dia, queria _____. Por favor.
Empregado: _____.
Você: _____.
....
....

12. Agora vai à papelaria.
    Faça o diálogo entre você e o empregado.
    Escolha palavras da lista dada.

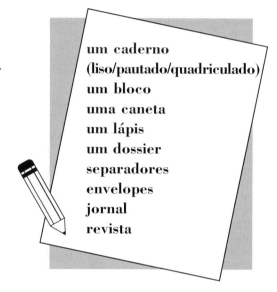

**um caderno
(liso/pautado/quadriculado)
um bloco
uma caneta
um lápis
um dossier
separadores
envelopes
jornal
revista**

13. Descreva as imagens. Use as expressões dadas.

em frente de / ao lado de / entre / atrás de / debaixo de

Unidade 4

A. Convidar

COLISEU DOS
RECREIOS

MADREDEUS

Dias 5 e 6 de Abril
às 21.30

1- Queres ir ao Coliseu?

Ler e ouvir

Paulo: Olha, Ricardo! Os Madredeus vão tocar no Coliseu no próximo fim-de-semana. Queres ir? Acho que vai ser um bom espectáculo e há muito tempo que não vou a um concerto.

Ricardo: Gosto muito dos Madredeus. A música deles é fantástica. Também não vou a um concerto desde Dezembro. Mas não achas que os bilhetes são muito caros? Não tenho muito dinheiro.

Paulo: Sim, não devem ser baratos. Mas acho que vale a pena.

Ricardo: Também acho que sim, mas na próxima semana tenho exame e tenho de estudar. Acho que prefiro voltar para casa dos meus pais em Serpa. Lá, tenho mais sossego e concentro-me melhor.

Paulo: Que pena! Mas acho que tens razão. Aqui em Lisboa não consegues estudar. Há sempre muitas coisas para fazer. Bom, vou perguntar ao Rui se ele quer ir. Vou telefonar-lhe hoje à noite. Não quero ir sozinho.

Ricardo: Tenho a certeza que o Rui vai. Os Madredeus são o grupo preferido dele e ele não tem problemas de dinheiro, nem exames na próxima semana. Divirtam-se!

Repare nos seguintes verbos e expressões.

CONVIDAR / ACEITAR / RECUSAR	
Queres...?	Não sei...
Não queres ir...?	Hoje não posso.
Preferes...?	Quero. É uma óptima ideia.
Não achas que...?	Acho que...
Podes...?	Prefiro...
Quando é que...?	Desculpa, mas...
Onde é que...?	Que pena!

2- **Veja se as seguintes afirmações sobre o diálogo são verdadeiras ou falsas.**

> Compreensão do texto

1. Os Madredeus são um grupo de teatro.

   Verdadeiro❏   **Falso** ❏

2. Os bilhetes para o espectáculo dos Madredeus devem ser baratos.

   Verdadeiro❏   **Falso** ❏

3. O Ricardo e o Paulo gostam muito dos Madredeus.

   Verdadeiro❏   **Falso** ❏

4. Em Lisboa o Ricardo não consegue estudar muito.

   Verdadeiro❏   **Falso** ❏

5. O Paulo decide convidar o Rui porque não quer ir ao concerto sozinho.

   Verdadeiro❏   **Falso** ❏

6. O Rui não tem muito dinheiro.

   Verdadeiro❏   **Falso** ❏

7. O Rui não gosta muito dos Madredeus.

   Verdadeiro❏   **Falso** ❏

3-

1. **Preste atenção às seguintes formas e conjugue os verbos.**

   > Gramática: **verbos irregulares** no **Presente do Indicativo**

	querer	saber	poder
eu		sei	posso
ela/ele	quer		

2. **Faça uma frase com cada um dos verbos.**

   _____

   _____

   _____

3. Complete o quadro com o verbo *ir*. Use as seguintes formas: *vais; vamos; vou; vão; vai.*

	ir
eu	
tu	
você	
ela/ele	
nós	
vocês	
elas/eles	

4. Complete com os verbos *ir, querer, poder* e *saber* na forma correcta.

O Paulo _____ ir ao concerto dos Madredeus no próximo fim-de-semana.
O Ricardo não _____ ir, porque tem de estudar. Ele _____ para casa dos pais.

Ricardo: "Sabes se o Rui _____ ir ao concerto?"
Paulo: "Não, não _____."

O Paulo _____ telefonar ao Rui, porque pensa que ele _____ ir com ele. Assim, os dois _____ ao concerto e _____ divertir-se.

5. Complete o texto com as formas verbais que se encontram dentro do quadro.

há   gosta   vão   estuda   assistem

tem   prefere   descansa   gostam   pode

O Paulo e o Rui _____ muito de música. Todos os anos eles _____ a muitos concertos de música rock ou música popular portuguesa e, às vezes, também _____ a concertos de música clássica. O Ricardo também _____ de ir a concertos, mas muitas vezes não _____ ir com os amigos, porque não _____ muito dinheiro. Em Lisboa _____ sempre muitas possibilidades para ocupar o tempo: discotecas, bares, exposições, etc. Então, o Ricardo _____ ir para casa dos pais no Alentejo. Lá ele _____ e _____ .

4- Escreva os diálogos na ordem correcta. Depois ouça-os com atenção.

a. - Que pena! E amanhã?
- Esta noite? Esta noite não posso. Vou jantar com os meus pais.
- Óptimo!
- Olá, Vanda. Queres ir ao cinema esta noite ?
- Amanhã à noite estou livre. Podemos ir.

a. - _____
- _____
- _____
- _____
- _____

b. - Não, porquê?
- Sim, é uma excelente ideia. A que horas vamos?
- Tens algum plano para sábado?
- De manhã. Assim, podemos subir a serra a pé e visitamos o Palácio da Pena.
- Não queres ir a Sintra?
- Está combinado.

b. - _____
- _____
- _____
- _____
- _____
- _____
- _____

B. Actividades para o tempo livre

1- Leia o texto.

O Ricardo não pode ir ao Coliseu, porque tem de estudar. Então, o Paulo decide perguntar ao Rui se quer ir ao Coliseu ver os Madredeus. O concerto é no próximo fim-de-semana de Abril. No sábado, dia 6, o Rui não tem nada para fazer e acha óptima a ideia do Paulo. Combinam encontrar-se num café e depois vão no carro do Rui para o Coliseu. Vai ser uma noite muito agradável.

2- Complete as perguntas sobre o texto com o pronome interrogativo adequado (*porque, quando, quem, onde*) e responda às perguntas.

1. _____ é que o Ricardo não pode ir com o Paulo?

2. _____ é que o Paulo decide convidar?

_____

3. _____ é que eles decidem ir ao concerto?

_____

4. _____ é que eles decidem encontrar-se?

_____

5. _____ é o concerto dos Madredeus?

_____

3- Agora complete a conversa do Paulo ao telefone com o Rui. Depois, leia-o com um colega. Você é o Paulo.

> Ao telefone: completar diálogo; ler

Rui: Está?
Paulo: Estou. Rui? Daqui fala o Paulo.

Rui: Ah! Olá! Tudo bem?
Paulo: _____

Rui: Na próxima sexta-feira não posso, mas no sábado estou livre. É uma óptima ideia.
Paulo: _____

Rui: Olha, podemos encontrar-nos no café às 20:30. O que é que achas?
Paulo: _____

Rui: Não, de metro não. Vamos no meu carro. O Ricardo também vai?
Paulo: _____

Rui: Porquê?
Paulo: _____

Rui: Que pena. Bom, então encontramo-nos no sábado.
Paulo: _____

Rui: Até sábado.

4-

1. Repare no exemplo.

> Gramática: **ir** + meios de transporte

> Não vamos *de* metro. Vamos *no* meu carro.

Com os elementos do quadro faça frases com o verbo *ir*.

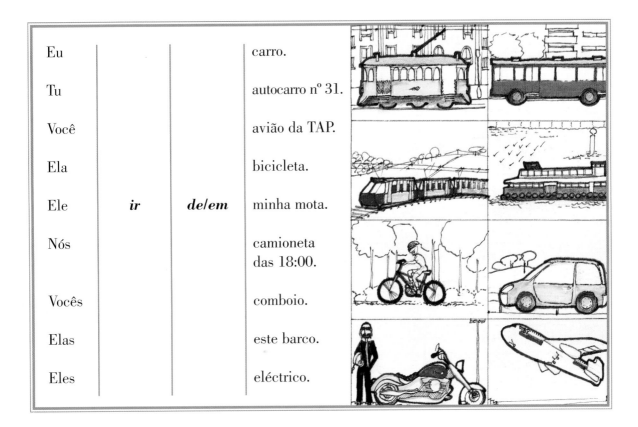

Eu			carro.
Tu			autocarro nº 31.
Você			avião da TAP.
Ela			bicicleta.
Ele	*ir*	*de/em*	minha mota.
Nós			camioneta das 18:00.
Vocês			comboio.
Elas			este barco.
Eles			eléctrico.

2.

ir		
vir	**para**	*(longa permanência)*
voltar	**a**	*(curta permanência)*

> Gramática: **ir para / ir a**

Exemplo:

> Vamos *ao* concerto?
> Prefiro voltar *para* a casa dos meus pais.

Complete com *para* ou *a*.

1. Eu vou viver _____ o Porto.
2. Tu, à noite, vens sempre _____ casa muito tarde.
3. Ele vai _____ casa almoçar.
4. No próximo ano, ela vai voltar _____ Lisboa para passar uma semana de férias.
5. Hoje nós vamos _____ cinema.
6. Eles vêm todos os dias _____ este restaurante.
7. Vocês vão estudar _____ Paris.

5 - Use as formas dos verbos *ver, ler* e *vir* do quadro e coloque-as no local correcto.

Gramática: **verbos irregulares no Presente**

vens	vejo	vimos	vê	lemos	vês
lês	vemos	lêem	vem		
vêem	lê	vêm	venho	leio	

	ver	ler	vir
eu			
tu			
você			
ela/ele			
nós			
vocês			
elas/eles			

6 - Acções habituais e acções no futuro.

Gramática: **ir + Infinitivo** acções no futuro

1 -

a) Acções habituais:

> Ao domingo à noite o Paulo *vê* sempre televisão.

b) Acções futuras:

> No próximo domingo à noite ele *vai ver* televisão.

Continue a fazer frases.

a) O que é que o Paulo **faz** ao fim-de-semana?

b) O que é ele **vai fazer** no próximo fim-de-semana.

1. ver televisão
2. ler o jornal
3. ir ao cinema
4. jantar fora
5. praticar desporto
6. sair com os amigos
7. ler um livro
8. jogar computador
9. ir à praia
10. passear com a família

2. a) _____

   b) _____

3. a) _____

   b) _____

4. a) _____
   b) _____

5. a) _____
   b) _____

6. a) _____
   b) _____

7. a) _____
   b) _____

8. a) _____
   b) _____

9. a) _____
   b) _____

10. a) _____
    b) _____

2. O que é que você faz ao fim-de-semana?
   Faça também perguntas ao seu colega ou ao professor.

Falar: acções habituais

Exemplo:

> Costuma sair à sexta-feira à noite?
> A que horas é que se levanta ao sábado?

**3. O que é que vai fazer no próximo fim-de-
   -semana?**

Falar: o próximo fim-de-
-semana

**7- Sem olhar, ouça as perguntas e responda com o
   verbo na 1ª pessoa.
   Agora responda por escrito.**

Compreender a pergunta e
responder com o verbo

1. Compreendes o texto? _____

2. Queres ir ao cinema? _____

3. Podes estar no café às 8 horas? _____

4. Prefere ir ao teatro? _____

5. Bebes café depois do jantar? _____

6. Vai para casa? _____

7. Achas que o concerto é bom?_____

8. Tens dinheiro para o bilhete?_____

9. Gosta dos Madredeus?_____

10. Gastas muito dinheiro?_____

11. Telefonas ao Rui?_____

12. Tens exame na próxima semana?_____

13. Lembras-te do Ricardo?_____

14. Sabes a que horas é o concerto?_____

8 - **Complete o texto com as palavras que se encontram dentro do quadro.**

> Gramática: completar
> com **preposições**

para	de	à	ao	em	no	para
na	dos	da	no	a	de	com

A Jean é _____ Estados Unidos, mas agora vive _____ Portugal, _____ casa _____ uns amigos portugueses. Eles vivem _____ centro _____ cidade. _____ próximo sábado _____ noite eles vão _____ cinema. Vão ver um filme português. Depois, vão _____ um bar brasileiro e só voltam _____ casa muito tarde. A Jean gosta muito ____ sair _____ estes amigos. No próximo ano ela vai voltar _____ os EUA.

9 -   **Há quanto** tempo...?/ **Desde quando**...?

> Gramática: **há / desd**

Exemplo:

> **Há quanto tempo** é que vives neste apartamento?
> Vivo neste apartamento **desde** Janeiro.
>
>   ou
>
> Vivo neste apartamento **há** 5 meses.

Faça perguntas aos seus colegas ou ao professor.
Pode utilizar as palavras dos quadros.

> Fala

estudar	viver	jogar		português	ténis	golf
trabalhar	ler	usar	estar	ginástica	livro	jornal	óculos
conhecer	saber	ter		carro	Lisboa	empresa

10 - Leia a carta da Catarina.

Londres, 15 de Novembro de 2006

Querida Rute:

Já estou em Londres desde o dia 1 de Setembro. É verdade! O tempo passa depressa. Tenho aulas todos os dias e tenho de estudar muito. Mas ao fim-de-semana levanto-me sempre mais tarde. Ao sábado, jogo ténis com um colega e depois normalmente almoçamos juntos. À tarde vou ao supermercado e compro algumas coisas para comer. Ao sábado à noite, vou sempre jantar com amigos ou colegas e depois vamos a um bar, a uma discoteca ou ao cinema. Deito-me sempre muito tarde. Ao domingo de manhã, levanto-me por volta das 11 horas, tomo um bom pequeno-almoço e fico em casa a estudar. Às vezes, leio um jornal ou um livro, ou vejo um pouco de televisão.

E tu? Como estás? E a tua família? Tens de escrever-me a contar tudo. Como está a Joana? Amanhã vou escrever-lhe. Os meus pais telefonam-me todas as semanas, mas tenho saudades deles. No Natal vou voltar para passar duas semanas e ver todos. Vamos ter muito para falar.

Até Dezembro e beijinhos para todos da
Catarina

11 - Termine as frases, seleccionando a opção correcta.

1. **A Catarina não vê a Rute**
   a. há dois meses e meio.
   b. há três meses.
   c. há dois meses.

2. **A Catarina está em Londres para**
   a. trabalhar.
   b. estudar.
   c. fazer férias.

3. **Ao domingo ela toma sempre**
   a. um grande pequeno-almoço.
   b. o pequeno-almoço na cama.
   c. o pequeno-almoço muito cedo.

4. **Os pais da Catarina**
   a. nunca lhe telefonam.
   b. telefonam-lhe frequentemente.
   c. telefonam-lhe todos os dias.

5. **Em Dezembro, a Catarina**
   a. vai viajar pela Inglaterra.
   b. vai passar o Natal com a família.
   c. vai ficar em Londres.

12- Simulação

Fal:

Convide um dos seus colegas para um dos seguintes lugares:

- cinema Monumental / filme português "Tentação" / hoje à noite, às 9:30;

- exposição de pintura / pintores portugueses do século XX / Centro Cultural de Belém / no próximo domingo de manhã.

Expressões

Queres...?	Óptimo!
Acho que…	Está combinado.
Não achas que…?	Está?
Acho que vale a pena.	O que achas?
Também acho que sim.	Há quanto tempo…?
Que pena!	Desde quando…?
Acho que tens razão.	É verdade!
Há muito tempo…	

C. Fonética

O alfabeto

1- Ouça novamente as letras do alfabeto e repita-as.

a -	b -	c -	d -	e -	f -	g -	h -	i -	j -	k -
l -	m -	n -	o -	p -	q -	r -	s -	t -	u -	v -
w -	x -	y -	z							

2- Como se escreve?

Ouça as seguintes palavras e escreva-as. Depois soletre-as.

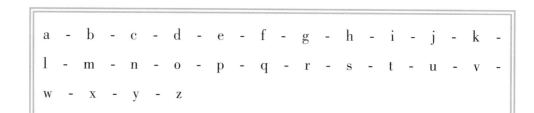

cansado   casado   solteiro   hoje   semana   fácil

alemães   casa   limpo   espectáculo   sábado

3- Práctica fonética

a - O <u>a</u> em português pode ser <u>aberto</u>, quando se encontra numa <u>sílaba tónica</u>, ou pode ser <u>fechado</u>.

Ouça estas palavras com <u>a</u> <u>aberto</u> e repita-as.

lá	cá	má	mato	caro	falo	fácil

b - Ouça agora algumas palavras com <u>a</u> <u>fechado</u> e repita-as.

para	suja	falamos	semana	plano	vamos	inglesa

c - Agora vai ouvir algumas palavras com os dois sons de <u>a</u>: primeiro <u>aberto</u> e depois <u>fechado</u>.
Ouça-as e repita-as.

casa	sala	acha	fala	nada	mala	lava

APÊNDICE GRAMATICAL

1 Presente do Indicativo – verbos irregulares

	saber	poder	querer	ver	ler	vir	ir
eu	*sei*	*posso*	quero	*vejo*	*leio*	*venho*	*vou*
tu	sabes	podes	queres	*vês*	*lês*	*vens*	*vais*
você/ela/ele	sabe	pode	*quer*	*vê*	*lê*	*vem*	*vai*
nós	sabemos	podemos	queremos	vemos	lemos	*vimos*	*vamos*
vocês/elas/eles	sabem	podem	querem	*vêem*	*lêem*	*vêm*	*vão*

2 ir + Infinitivo – ideia de futuro

Amanhã / Depois de amanhã / Logo à noite / Na próxima semana

Eu	*vou ver* televisão.
Tu	*vais jogar* futebol.
Você/Ela/Ele	*vai ler* este livro.
Nós	*vamos visitar* um amigo.
Vocês/Elas/Eles	*vão comprar* um carro.

3 ter de + Infinitivo – ideia de obrigação

Exemplos:

Ela **tem de estudar** para o exame.
Nós **temos de comprar** leite para amanhã.
Hoje à noite eles **têm de trabalhar.**

4 há — usa-se para um período de tempo
desde — usa-se para o início de um período de tempo

Exemplos:

Hoje é sexta-feira e ela está em Lisboa **desde** segunda-feira de manhã.
                    ou
Ela está em Lisboa **há** cinco dias.

5 Pronomes pessoais de complemento indirecto

Pronomes Pessoais	
Sujeito	**Complemento indirecto**
eu	**me**
tu	**te**
você/ela/ele	**lhe**
nós	**nos**
vocês	**vos**
vocês/elas/eles	**lhes**

Exemplos:

Não falo com **a Isabel** há muito tempo.
Vou telefonar-**lhe** hoje à noite.

Amanhã vou estar com **o Tó** e com **a Ana** e vou perguntar-**lhes** se querem ir ao cinema.

6 Preposições de movimento

Direcção:

a -   (curta permanência)   Amanhã vou **à** praia.
para - (longa permanência)   Já é tarde. Vou **para** casa.

Nota: preposição *a* + artigos definidos

a + a	=	*à*
a + o	=	*ao*
a + as	=	*às*
a + os	=	*aos*

Transportes:

de - (transporte indeterminado)   Vamos **de** autocarro.
em - (transporte determinado)   Vamos **no** autocarro nº 23.

Unidade
5

A. Fazer planos para as férias

1- O João telefona ao Miguel.

Miguel:	Está?
João:	Estou. Miguel? Olá! Sou o João.
Miguel:	Ah! Olá! Estás em Lisboa?
João:	Não, estou em Viseu. Só vou ter férias no próximo mês. E tu? Quando é que vais de férias?
Miguel:	Olha, eu vou no próximo sábado. Já estou a precisar.
João:	Vais para o Algarve, como é habitual?
Miguel:	Não, este ano vamos para a praia da ilha de Porto Santo. Tenho um amigo que vai sempre para lá e diz que aquilo é um paraíso: um mar transparente e com uma temperatura muito agradável e uma praia enorme de areia branca. Normalmente alugamos um apartamento no Algarve e costumamos passar lá um mês. Mas este ano vamos duas semanas para a praia de Porto Santo e vamos ficar mais uma semana, na ilha da Madeira, que fica mesmo ao lado. Na ilha da Madeira não vamos à praia, mas temos a piscina do hotel.
João:	Eu já conheço a Madeira e o Porto Santo e acho que vocês vão adorar! E as crianças vão passar o tempo dentro de água. Mas, assim só tens três semanas de férias. O que é que vais fazer na quarta semana?
Miguel:	Fica para o Natal. Este ano vou fazer uma semana no Inverno.
João:	São mesmo umas férias diferentes do habitual. E vão para um apartamento no Porto Santo?
Miguel:	Não, desta vez vamos ficar num hotel com pensão completa. A Leonor não vai precisar de cozinhar. Ela diz que nunca faz umas férias a sério quando ficamos num apartamento. Assim, vão ser umas férias mais tranquilas para todos. E tu? Para onde vais?
João:	Ainda não sei bem, mas acho que vou passar duas semanas na praia com os meus pais, em Sesimbra, e depois vou a Praga.
Miguel:	Hum! Também vai ser interessantíssimo. Mas vais sozinho a Praga?
João:	Não, a Joana vai comigo. Bom, olha, tenho de ir para uma reunião. Desejo-te umas óptimas férias e depois eu telefono-te e combinamos qualquer coisa.
Miguel:	Está óptimo. Umas boas férias para ti também. Adeus e beijinhos a todos lá em casa.
João:	Adeus, Miguel!

2 - Termine as frases com a opção mais adequada.

1. O João está a
   a. passar férias em Viseu.
   b. trabalhar em Viseu.
   c. telefonar de Lisboa.

2. O Miguel
   a. nunca vai de férias para o Algarve.
   b. este ano vai de férias para o Algarve.
   c. costuma ir de férias para o Algarve.

3. O Miguel
   a. habitualmente aluga um apartamento no Algarve.
   b. às vezes aluga um apartamento no Algarve
   c. vai alugar um apartamento no Algarve.

4. Este ano, o Miguel
   a. vai passar quatro semanas de férias na praia.
   b. vai passar duas semanas de férias na praia.
   c. vai passar as férias no campo.

5. Este ano, o João
   a. vai fazer férias na praia.
   b. vai fazer férias na cidade.
   c. vai fazer férias na praia e na cidade.

6. Este ano, o Miguel vai ficar
   a. num apartamento.
   b. num hotel.
   c. num parque de campismo.

7. A praia de Porto Santo fica
   a. no Algarve.
   b. perto de Lisboa.
   c. perto da ilha da Madeira.

8. A estadia no hotel de Porto Santo inclui
   a. o pequeno-almoço, o almoço e o jantar.
   b. o pequeno-almoço e o almoço.
   c. o pequeno-almoço.

9. O Miguel vai de férias
   a. com a mulher e com os filhos.
   b. com a namorada.
   c. com os pais.

10. O Miguel
    a. vai ver o João antes das férias.
    b. vai ver o João depois das férias.
    c. este ano não vai ver o João.

3- **1.** Diga algumas características da praia de Porto Santo.

2. O que acha que o Miguel e a família vão fazer durante as férias na praia de Porto Santo?

Algumas destas actividades são possíveis:

- visitar um museu;
- tomar banho;
- apanhar o autocarro;

- brincar com a areia;
- dar mergulhos;
- comer gelados;

- jogar à bola;
- ir às compras;
- apanhar sol.

4- Complete o quadro.

Gramática: **verbos irregulares no Presente do Indicativo**

	fazer	**dizer**	**trazer**
eu			
ele			

Agora faça frases com as formas verbais.

Eu *faço* _____
    digo _____
    trago _____

Ele *faz* _____
    diz _____
    traz _____

5- Siga o exemplo:

Gramática: **grau comparativo**

> No Verão, os dias são **mais** longos **do que** no Inverno. (longo ≠ curto)
> *então*
> No Inverno, os dias são **mais** curtos **do que** no Verão.

1. A praia de Porto Santo é **maior do que** a praia de Sesimbra. (grande ≠ pequeno)
   então
   A praia de Sesimbra _____

2. Uma viagem para Porto Santo é **mais** cara **do que** para o Algarve. (caro ≠ barato)
   então
   Uma viagem para o Algarve _____

3. As férias no hotel são **melhores do que** num apartamento. (bom ≠ mau)
   então
   As férias num apartamento _____

4. A água na praia de Porto Santo é **mais** quente **do que** em Sesimbra. (quente ≠ frio)

então

A água em Sesimbra _____

5. Este ano o Miguel vai ter férias **mais** cedo **do que** o João. (cedo ≠ tarde)

então

Este ano o João _____

6- **Responda às perguntas como no exemplo.** [Gramática: **grau superlativo**]
**Atenção às formas irregulares (*grande* / *enorme*;
bom / *óptimo*; *mau* / *péssimo*; *fácil* / *facílimo*; *difícil* / *dificílimo*).**

Exemplo:

> Achas que as minhas férias vão ser interessantes?
> Vão ser interessant**íssimas.**

1. A praia é grande? _____
2. Esse hotel é caro? _____
3. A água é quente? _____
4. A piscina é boa? _____
5. A água é limpa? _____
6. A comida aqui é má? _____
7. É fácil encontrar um apartamento em Porto Santo? _____
8. Sesimbra é perto de Lisboa? _____

7-   [Vocabulário: estações do ano]

1. **Relacione cada uma das frases da direita com a
   estação adequada.**

No Inverno	**a.** faz muito calor.
	b. neva muito.
	c. chove muito.
	d. há muitas flores.
Na Primavera	**e.** os campos estão verdes.
	f. está muito frio.
	g. as folhas caem.
	h. as pessoas vestem roupas quentes.
No Verão	**i.** está vento.
	j. as folhas das árvores ficam castanhas.
	l. o sol brilha.
	m. o céu está cinzento.
No Outono	**n.** o céu está azul.
	o. as pessoas vestem roupas frescas.

2. Qual é a sua estação do ano preferida? Porquê?

Como é o Inverno no seu país?

Em que estação do ano estamos agora?

No Verão está muito calor no seu país?

Fala

3. Complete as frases com os meses do ano na ordem correcta.

Vocabulário: meses do ano

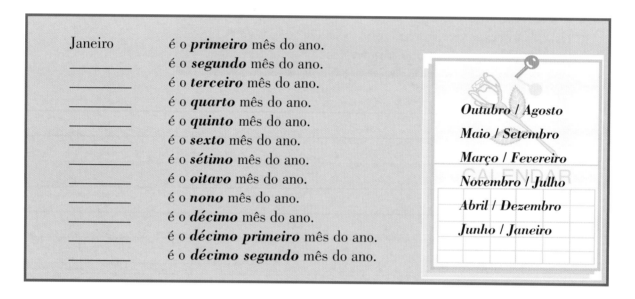

Janeiro   é o **primeiro** mês do ano.

_____ é o **segundo** mês do ano.

_____ é o **terceiro** mês do ano.

_____ é o **quarto** mês do ano.

_____ é o **quinto** mês do ano.

_____ é o **sexto** mês do ano.

_____ é o **sétimo** mês do ano.

_____ é o **oitavo** mês do ano.

_____ é o **nono** mês do ano.

_____ é o **décimo** mês do ano.

_____ é o **décimo primeiro** mês do ano.

_____ é o **décimo segundo** mês do ano.

Outubro / Agosto
Maio / Setembro
Março / Fevereiro
Novembro / Julho
Abril / Dezembro
Junho / Janeiro

4. Junte cada mês do ano com uma das afirmações da direita.

Vocabulário: meses do ano

Em Janeiro	a. estamos no fim da Primavera.
Em Fevereiro	b. chove muito.
Em Março	c. as folhas caem.
Em Abril	d. as pessoas vão à praia.
Em Maio	e. os campos estão cheios de flores.
Em Junho	f. começam as aulas.
Em Julho	g. é o Natal.
Em Agosto	h. é normalmente o Carnaval.
Em Setembro	i. os dias são mais longos.
Em Outubro	j. começa o novo ano.
Em Novembro	l. o sol brilha e está calor.
Em Dezembro	m. estamos no terceiro mês do ano.

5. Que dia é hoje?

Em que mês estamos?

Quais são as datas especiais / festivas que se celebram no seu país?

O que fazem nessas datas?

8- Complete com as formas dos verbos.

põe	pomos	pões
põem	ponho	

saem	sai	saio
saímos	sais	

Pôr

Eu _____ a caneta dentro do estojo.
Tu _____ um casaco mais quente.
Ele _____ a mala no quarto.
Nós _____ a máquina fotográfica no saco.
Eles _____ a roupa na mala.

Sair (Cair)

Eu _____ com os meus amigos.
Tu _____ da escola às 18 horas.
Ele _____ de casa cedo.
Nós _____ de Cascais às 8 horas.
Eles _____ da camioneta para tomar café.

B. Férias e tempo livre

1- Leia o texto.

A escola secundária de Cascais vai organizar pela primeira vez uma viagem à serra da Estrela durante as próximas férias de Natal. Os alunos vão passar alguns dias na neve.

A serra da Estrela fica no norte de Portugal e é o único local no país onde se pode fazer esqui, porque no Inverno neva muito naquela região. As pessoas que vivem em Lisboa e em muitas outras cidades, vilas e aldeias de Portugal nunca têm muitas possibilidades de ver neve. Então, muitos portugueses põem as suas roupas mais quentes e viajam até à serra da Estrela para uns dias diferentes: fazem esqui, fazem bonecos de neve ou atiram bolas de neve uns aos outros.

Os alunos da escola de Cascais vão viajar de camioneta e vão ficar num hotel que tem piscina interior. Vai ser divertido!

2- Responda às seguintes perguntas sobre o texto:

1. A escola secundária de Cascais costuma organizar viagens à serra da Estrela nas férias de Natal?

_____

_____

2. O que é que os alunos podem fazer na serra da Estrela?

_____

_____

3. Como é que os alunos vão para a serra da Estrela?

_____

_____

4. É normal nevar em todo o país?

_____

_____

5. Porque é que as pessoas põem a sua roupa mais quente quando vão à serra da Estrela?

_____

_____

3- **Utilize o seu dicionário e assinale quais as peças de vestuário e o calçado que os alunos _não_ vão levar para a serra da Estrela.**

> Vocabulário: vestuário
> usar o dicionário

- o cachecol
- o fato de banho
- o gorro
- os calções
- a camisola de lã
- a camisa
- as luvas
- as sandálias
- a t-shirt
- as botas
- as meias

- as calças
- os sapatos
- os ténis
- as calças de ganga
- o biquini
- o blusão
- o casaco
- a saia
- a gabardina
- o pijama
- o vestido de manga curta

4- **Faça perguntas sobre os objectos na aula ou sobre as peças de vestuário das pessoas da aula.**

> Vocabulário: as cores;
> fazer perguntas

De que cor é / são... ?

A s   c o r e s

castanho   amarelo   preto   cinzento   vermelho   branco   azul

cor-de-rosa   verde

cor-de-laranja   roxo

5 - Vire-se de costas para um colega seu e tente dizer o que ele tem vestido e as cores da roupa. Responda oralmente. `Falar`

Imagine que estamos no mês de Julho e que vai passar um fim-de-semana à praia de Sesimbra. O que vai levar para vestir ?

6 -

1. Complete com as formas dos verbos *ouvir*, *sair*, *dormir* e *pedir*.

Gramática: **verbos irregulares no Presente do Indicativo**

	ouvir	dormir	pedir	sair
eu				

Ao sábado eu _____ até mais tarde; à tarde _____ música e à noite _____ o carro ao meu pai e _____ com os meus amigos.

2. Responda às perguntas oralmente.

Gramática: **verbos irregulares;** responder oralmente

a. Ouve música no seu tempo livre?

b. Põe o seu carro na garagem?

c. Traz sempre o seu livro para a aula?

d. Faz sempre a cama de manhã?

e. Diz aos seus amigos para onde vai nas férias?

f. Pede dinheiro quando precisa?

g. Dorme até muito tarde nas férias?

h. Sai com a sua família ao fim-de-semana?

i. Prefere passar férias na praia?

j. Veste calções quando está calor?

l. Sabe nadar bem?

m. Lê o jornal todos os dias?

7 -

1. O que fazem os portugueses no tempo livre? `Ler e falar`

Nos tempos livres, os portugueses gostam de sair com a família ou com os amigos. Ao fim-de-semana, à noite, os restaurantes e os bares estão sempre cheios. Ao jantar, todos gostam de passar um tempo agradável num restaurante com uma boa comida, enquanto conversam.

No Verão, quando o tempo está bom e faz calor, a praia é um dos locais preferidos. Mas também há pessoas que preferem ir passear pelas vilas e aldeias.

2. O que faz você no seu tempo livre?

8- **Actividades para o tempo livre ou para as férias.**

1. Relacione cada figura com uma actividade.

jogar computador

nadar

apanhar sol

andar na montanha

pescar

ir ao restaurante

ver televisão

ir ao cinema

ler

ouvir música

visitar museus

ir para a praia

praticar desporto

conhecer novas cidades

pintar

cozinhar

esquiar

tratar do jardim

jantar fora

fazer campismo

2. Quais são as actividades que gosta de fazer no seu tempo livre?

Falar

3. Quais são os planos para as suas próximas férias?

4. Quais são as actividades para o tempo livre mais populares no seu país?

9- **Antes de ler os seguintes textos, ouça-os e responda às perguntas oralmente.**

Compreensão oral; ler; escrever

Depois leia e escreva as respostas.

1.

A - Olá Marta! Já estás de férias?
B - Ainda não. Tenho férias em Julho.
A - Para onde vais?
B - Vou para a casa dos meus avós, no norte de Portugal. A casa fica perto da praia e tem uma boa piscina. Posso nadar e apanhar sol.
A - Que bom! Boas férias!
B - Obrigada!

a. Quando é que a Marta tem férias?

_____

b. Para onde é que ela vai nas férias?

_____

c. Onde fica a casa dos avós da Marta?

_____

d. O que é que ela vai fazer nas férias?

_____

2.

Compreensão oral; ler; escrever

Eu sou a Kate e sou inglesa, mas estou de férias em Lisboa. Vou conhecer a cidade e vou visitar Sintra e as praias perto de Lisboa. Também gosto muito de dançar. Por isso, à noite vou à discoteca com os meus amigos.

a. A Kate é portuguesa?

_____

b. Onde é que a Kate está de férias?

_____

c. O que é que ela vai fazer durante as férias?

_____

Expressões

Adeus e beijinhos a todos lá em casa. Boas férias! Desejo-te umas óptimas férias.	Para onde é que vais nas férias? Quando é que vais de férias?

C. Fonética

A letra s pode ter diferentes sons.
Ouça as seguintes palavras com atenção e depois repita-as.

sapato / sol / sou/ somos / salada / sopa / saia / sei / massa / mousse / cassete / missa / assiste / consiste	casa / coisa / mesa / rosa / casal / caso / museu / casaco / vaso / camisa	castanhos / pasta / azuis / festa / lápis / dois / três / mostro / esqueço / visto / bebes / escuro / os / as

1 Presente do Indicativo - verbos irregulares

	fazer	dizer	trazer
eu	**faço**	**digo**	**trago**
tu	fazes	dizes	trazes
você/ela/ele	**faz**	**diz**	**traz**
nós	fazemos	dizemos	trazemos
vocês/elas/eles	fazem	dizem	trazem

	pedir	ouvir	dormir
eu	**peço**	**ouço**	**durmo**
tu	pedes	ouves	dormes
você/ela/ele	pede	ouve	dorme
nós	pedimos	ouvimos	dormimos
vocês/elas/eles	pedem	ouvem	dormem

	sair	cair	pôr
eu	**saio**	**caio**	**ponho**
tu	**sais**	**cais**	**pões**
você/ela/ele	**sai**	**cai**	**põe**
nós	**saímos**	**caímos**	**pomos**
vocês/elas/eles	**saem**	**caem**	**põem**

2 Possessivos

	Singular		Plural	
	masculino	**feminino**	**masculino**	**feminino**
eu	*o meu* livro	*a minha* casa	*os meus* livros	*as minhas* casas
tu	*o teu* amigo	*a tua* amiga	*os teus* amigos	*as tuas* amigas
você	*o seu* casaco	*a sua* camisa	*os seus* sapatos	*as suas* meias
ele	*o* colega *dele*	*a* colega *dele*	*os* colegas *dele*	*as* colegas *dele*
ela	*o* quarto *dela*	*a* sala *dela*	*os* sofás *dela*	*as* plantas *dela*
nós	*o nosso* escritório	*a nossa* sala	*os nossos* quartos	*as nossas* salas
vocês	*o vosso* jardim	*a vossa* piscina	*os vossos* carros	*as vossas* plantas
eles	*o* trabalho *deles*	*a* directora *deles*	*os* trabalhos *deles*	*as* cadeiras *deles*
elas	*o* hotel *delas*	*a* viagem *delas*	*os* bilhetes *delas*	*as* malas *delas*

3 Preposições de tempo

meses do ano:	*em*	*Em* Janeiro está muito frio.

estações do ano:	*em*	*No* Inverno os dias são curtos. *Na* Primavera os campos estão verdes. *No* Verão as praias estão cheias. *No* Outono as folhas caem.

épocas festivas:	*em*	*No* Natal as pessoas oferecem presentes. *Na* Páscoa os alunos têm férias. *No* Carnaval há uma grande festa no Brasil.

4 Preposição *com* + Pronome pessoal

com + eu	*comigo*
com + tu	*contigo*
com + você	*consigo*
com + ela	com ela
com + ele	com ele
com + nós	*connosco*
com + vocês	com vocês
com + os senhores/as senhoras	*convosco*
com + elas	com elas
com + eles	com eles

5 Graus dos Adjectivos

Comparativo de superioridade:

mais ... (do) que...	O livro é **mais** interessante **do que** o filme.
irregulares:	Exemplos:
bom	O teu quarto é **melhor do que** o meu.
mau	Esta sopa é **pior do que** a de ontem.
grande	A casa deles **é maior do que** a nossa.

Superlativo absoluto sintético:

muito caro = caríssimo	Este apartamento é **caríssimo.**
irregulares:	
bom _____ **óptimo**	Este filme é **óptimo.**
mau _____ **péssimo**	Este restaurante é **péssimo.**
grande _____ **enorme**	A tua casa é **enorme.**
difícil _____ **dificílimo**	Este texto é **dificílimo.**
fácil _____ **facílimo**	As perguntas sobre o texto são **facílimas.**

Unidade 6

"FAÇA EXERCÍCIO!"

A. Ir ao médico

1- Leia o diálogo antes de o ouvir.

Ler e ouvi

No consultório:

- Boa tarde, Sra. Doutora.
- Boa tarde. Sente-se. Então, o que se passa?
- Olhe, Sra. Doutora, venho aqui porque me sinto muito cansado, doem-me as pernas e, às vezes, dói-me o peito. Eu acho que não é nada de especial, mas a minha mulher está sempre a dizer que tenho de consultar o médico e…
- E ela tem razão. Há quanto tempo é que não vem à consulta?
- Há mais de cinco anos. Talvez…
- Bem, deixe-me auscultar e vamos medir a sua tensão arterial.

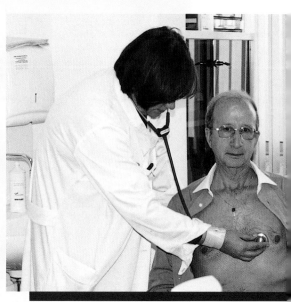

Algum tempo depois…

- A sua tensão está muito alta, Sr. Oliveira. E o seu coração precisa de um exame maior. Quanto é que o senhor pesa?
- Uns 90 Kg., acho eu.
- Pois é! O senhor está muito gordo. Precisa de emagrecer e principalmente de ter muito cuidado com o que come e com o que bebe. Bom, mas primeiro vai fazer estes exames. Faça estas análises e um electrocardiograma. Temos de ver como está esse coração.
- Acha que posso ter algum problema de coração?
- Não sei. Temos de esperar pelos resultados do exame e das análises. Mas, entretanto, Sr. Oliveira, não coma gorduras nem doces, não beba bebidas alcoólicas e faça exercício: ande todos os dias um pouco a pé.
- Bem, eu ao domingo dou sempre um passeio a pé com a minha mulher.
- Mas não pode ser só ao domingo. Tem de andar a pé mais vezes.

2- Responda e faça perguntas sobre o diálogo.

Compreensão do diálo

1. O Sr. Oliveira vai ao médico de manhã?

   _____ .

2. Quais são os sintomas do Sr. Oliveira?

   _____ .

3. _____ .

   Há mais de cinco anos.

4. _____ .

Primeiro, a médica ausculta o Sr. Oliveira e mede-lhe a tensão arterial.

5. A médica acha que o Sr. Oliveira tem um bom peso?

_____ .

6. Quais são os exames que o Sr. Oliveira tem de fazer?

_____ .

7. Quais são os cuidados que o Sr. Oliveira deve ter?

_____ .

3 - **Siga o exemplo e preencha os espaços com a indicação correcta.**

Vocabulário: especialidades médicas

oftalmologista / cardiologista / ortopedista / ginecologista / dentista
pediatra / ***otorrinolaringologista*** / dermatologista / neurologista

Otorrinolaringologista	é o médico que trata as doenças relacionadas com ouvidos, nariz e garganta.
_____	é o médico que trata das crianças.
_____	é o médico que trata as doenças que se relacionam com o sistema nervoso.
_____	é o médico que trata das doenças específicas das senhoras.
_____	é o médico que trata dos olhos.
_____	é o médico que trata dos dentes.
_____	é o médico que trata das doenças relacionadas com os ossos.
_____	é o médico que trata das doenças da pele.
_____	é o médico que trata das doenças do coração.

4 -

Gramática: **doer** no
Presente do Indicativo

1. Repare no verbo *doer* no diálogo.

… ***doem***-me as pernas.
… ***dói***-me o peito.

Agora complete com o verbo *doer*:

_____-me o pé direito.	_____-me as pernas.
_____-lhe os ouvidos?	_____-nos os dentes.
_____-te a cabeça?	_____-lhe a garganta?

2. Complete as frases com as formas do verbo *dar*: Gramática: verbo **dar**
dão, dou, dá, dás, damos.

Presente do Indicativo
dar

Eu	_____	um passeio a pé.
Tu	_____	a sopa ao teu filho.
Ela	_____	erros no ditado.
Nós	_____	uma festa amanhã.
Eles	_____	um passeio de bicicleta.

5- Repare como se forma o *Imperativo* dos Gramática: **forma Imperativo**
verbos.

Presente do Indicativo (1ª pessoa do singular)	IMPERATIVO		
	tu (neg)	**você**	**vocês**
- **ar** → eu fal~~o~~	Não fal**es**!	Fal**e**!	Fal**em**!
- **er** → eu com~~o~~	Não com**as**!	Com**a**!	Com**am**!
- **ir** → eu abr~~o~~	Não abr**as**!	Abr**a**!	Abr**am**!

1. Agora complete:

Infinitivo	Presente do Indicativo	Imperativo
pag**ar**	eu _____	(você) _____
and**ar**	eu _____	_____
traz**er**	eu _____	_____
faz**er**	eu _____	_____
compreend**er**	eu _____	_____
diz**er**	eu _____	_____
v**er**	eu _____	_____
l**er**	eu _____	_____
vest**ir**	eu _____	_____
v**ir**	eu _____	_____
p**ôr** (=-**er** / -**ir**)	eu _____	_____
ouv**ir**	eu _____	_____
dorm**ir**	eu _____	_____
t**er**	eu _____	_____

2. No final da consulta do Sr. Oliveira, o médico dá-lhe um folheto com alguns conselhos para proteger o coração. Mas neste folheto faltam os verbos. Complete os conselhos do folheto, conjugando os verbos na *forma imperativa (você)*.

Gramática: completar folheto com forma Imperativa

POR UM CORAÇÃO SAUDÁVEL

(Andar) _____ mais a pé. O seu coração precisa de exercício. Não *(correr)* _____, mas *(caminhar)* _____ todos os dias um pouco. Não *(fumar)* _____, nem *(comer)* _____ gorduras. Não *(beber)* _____ bebidas alcoólicas.

(Fazer) _____ exercício. *(Andar)* _____ de bicicleta. *(Nadar)* _____, *(dançar)* _____ e *(subir)* _____ e *(descer)* _____ escadas. *(Fazer)* _____ exercício, mas com cuidado e moderação. Não *(ter)* _____ stress, nem *(engordar)* _____.

(Ter) _____ cuidado com a sua saúde. *(Procurar)* _____ umas férias tranquilas. *(Respirar)* _____ o ar puro do campo e *(fazer)* _____ exames médicos periódicos.

3. Agora complete o quadro como o exemplo.

Gramática: **forma**
Imperativa de **tu** (afirmativo)

Infinitivo	Presente do Indicativo (ele)	Imperativo tu (afirmativo) = 3ª pessoa do singular Pres. Ind.
falar	Ele fala.	(tu) Fala!
comer	_____	_____
beber	_____	_____
pôr	_____	_____
trazer	_____	_____
fazer	_____	_____
dizer	_____	_____
vestir	_____	_____
jogar	_____	_____
treinar	_____	_____
ver	_____	_____
ler	_____	_____
ir	_____	_____
dormir	_____	_____
sair	_____	_____
pedir	_____	_____

6- Vamos usar a forma *Imperativa*.

Usar a **forma Imperativa**

1. Agora imagine que está a falar com um amigo seu que tem problemas de coração. Leia-lhe os conselhos do folheto sobre um coração saudável, mas use a forma "tu".

2. Procure agora as formas de *Imperativo* no diálogo entre o médico e o Sr. Oliveira no consultório e sublinhe-as.

3. Agora imagine os conselhos que a mulher do Sr. Oliveira lhe vai dar depois da consulta.

7-

Vocabulário: corpo humano

**Coloque o vocabulário dos quadros nos locais correctos do corpo
e da cabeça.**

Alex yy

olho	nariz	orelha	cabelo		pescoço	ombros	braço	mão
testa	boca	dentes			dedos	pé	perna	cotovelo
sobrancelha	cara	queixo			barriga	peito	costas	
					joelho	estômago		

B. Vamos às compras!

1- Ouça e leia os seguintes diálogos.

Utilize o vocabulário dos quadros para simular novos diálogos.

Ouvir, ler e fala

1. Nos correios

V O C A B U L Á R I O	
o selo	por avião
a carta	telefonema
o envelope	enviar
a encomenda	levantar
correio normal	carta registada
correio azul	postal
mandar um fax	cartão para telefonar

- Boa tarde.
- Boa tarde. Olhe, queria um selo para os Estados Unidos.
- Aqui está.
- Agora queria enviar esta carta em correio azul.
- Muito bem. Mais alguma coisa?
- Não. É tudo. Quanto é?

2. No banco

V O C A B U L Á R I O	
abrir uma conta - à ordem	preencher um - impresso
- a prazo	- talão de depósito
levantar ≠ depositar	assinar
- um cheque	a assinatura
- dinheiro	o cartão de crédito
	passar um cheque
trocar dinheiro	fazer uma transferência
cambiar dinheiro	

- Muito bom dia. Faça o favor de dizer.
- Bom dia. Queria abrir uma conta à ordem, por favor.
- Com certeza. Tem o seu bilhete de identidade?
- Sim, tenho. Está aqui.
- Então, preencha este impresso e depois assine aqui em baixo, se não se importa.

3. Na loja de roupa

V O C A B U L Á R I O

o gabinete de provas	trocar
experimentar	o tamanho / o número
arranjar	Posso ver?
fazer as baínhas	Posso experimentar?
encurtar as mangas	tecido de algodão / de lã

- Boa tarde. Posso ajudar?
- Sim, queria umas calças destas, mas azuis.
- Qual é o seu número?
- É o 38.
- 38... Ah! Aqui tem estas.
- Quanto custam essas?
- Deixe-me ver. Sim, está aqui o preço. São 62 euros.
- E aquelas ali?
- Aquelas são mais baratas.
- Então, posso experimentar as duas?
- Com certeza. Pode experimentar naquele gabinete ali à direita.

2 - Ouça os seguintes diálogos antes de os ler e diga onde se passam.

Compreensão oral

Diálogo 1	a) Na farmácia
Diálogo 2	b) Na loja de roupa
Diálogo 3	c) No banco
Diálogo 4	d) Nos correios
Diálogo 5	e) No hotel
Diálogo 6	f) Na papelaria

Diálogo 1

- Boa tarde. Faça favor.
- Boa tarde. Olhe, queria um quarto para uma noite.
- De casal ou individual?
- De casal e com pequeno-almoço incluído.
- Com certeza. Ficam no quarto nº 504, no 5º andar. Aqui tem a chave.

Diálogo 2

- Bom dia.
- Bom dia.
- Queria uma borracha e um lápis nº 3, por favor.
- É tudo?
- Sim. Ah, não. Também queria esta revista. Quanto é tudo?

Diálogo 3

- Boa tarde. Queria levantar este cheque.
- Tem o seu bilhete de identidade?
- Sim. Aqui está.
- Obrigado.

Diálogo 4

- Bom dia.
- Bom dia. Tem uma camisa igual a esta, mas cor-de rosa?
- Qual é o tamanho?
- O médio.
- Não, em cor-de-rosa já não temos. Só em azul.
- Humm… não. Em azul não quero. Bem, obrigada e bom dia.
- Obrigada eu.

Diálogo 5

- Boa tarde.
- Boa tarde. Queria uma caixa de aspirinas e umas pastilhas para a tosse, por favor.
- Mais alguma coisa?
- Não, é tudo. Quanto é?

Diálogo 6

- Bom dia.
- Bom dia.
- Queria levantar esta encomenda.
- Tem o seu bilhete de identidade?
- Sim. Aqui tem. Queria também um selo para a Europa.

3- A família

Vocabulário: a família

A família e as relações familiares são muito importantes para os portugueses.

o avô | o neto | o pai | o filho | o primo | a cunhada
a avó | a mãe | a filha | a prima | a tia | a sogra
a mulher | a neta | o irmão | a nora | a irmã | o marido
o genro | o sobrinho | o tio | o cunhado | o sogro | a sobrinha

Complete as frases com os parentescos.

O Sr. António é _____ da Isabel e da Paula.

A D. Glória é _____ da Isabel e da Paula.

O Sr. António é _____ da Susana, do Mário e do Rui.

A D. Glória é _____ da Susana, do Mário e do Rui.

A Paula é _____ do Artur.

O José é _____ da Isabel.

A Paula e o Artur são _____ do Rui.

O José e a Isabel são _____ do Rui.

O Sr. António e a D. Glória são _____ do Rui, da Susana e do Mário.

O Rui, o Mário e a Susana são _____ do Sr. António e da D. Glória.

O Rui é _____ da Susana e do Mário.

A Susana e o Mário são _____ da Paula e do Artur.

O José é _____ da Paula.

O Sr. António é _____ do José e do Artur.

O Artur e o José são _____ do Sr. António e da D. Glória.

A Susana é _____ do Mário.

4- Descrições Físicas

Vocabulário: descrição física

D E S C R I Ç Õ E S   F Í S I C A S

ter cabelo	louro	ter	barba	ter	franja	
	escuro		bigode		risca	ao meio
	ruivo					ao lado
	castanho					
	branco					
	grisalho					

ter cabelo	liso	ser	careca	ser	magro
	ondulado				gordo
	encaracolado				alto
					baixo
ter cabelo	curto	usar	óculos		velho
	comprido				novo

1. Seleccione uma personagem da imagem. Escreva o nome dela e descreva-a para ver se os seus colegas descobrem qual é. [Fala

2. Seleccione uma personagem da imagem e escreva o nome dela. Agora são os seus colegas que lhe fazem perguntas sobre as características físicas e sobre o que está a fazer. Você só pode responder com *sim* ou *não*.

5- Descrição de carácter

Vocabulário: descriçã
do carácter

D E S C R I Ç Ã O   D E   C A R Á C T E R

ser	organizado	tímido	gastador
	trabalhador	introvertido	poupado
	desarrumado	extrovertido	indeciso
	teimoso	comunicativo	activo
	simpático	sociável	decidido
	antipático	falador	indolente
	arrogante	calado	calmo

Agora descreva uma pessoa da sua família ou um amigo seu. Não se esqueça de referir os seguintes aspectos: [Fala

a. nome, profissão, idade;

b. características físicas;

c. características de carácter;

d. passatempos e preferências.

6 - Tome atenção às seguintes frases com _**para**_ e _**por**_. Gramática: **para / por**

para	**por**
1. Este autocarro vai **para** o Porto.	1. Este autocarro passa **pela** minha rua.
2. Toma! Este livro é **para** ti.	2. Fico em Lisboa **por** duas semanas.
3. Eu estou em Portugal **para** aprender português.	3. Vendo-te a minha bicicleta **por** 150 euros.
4. **Para** quando é que precisa do carro pronto?	4. Ela hoje não vem à reunião **por** estar doente.
5. **Para** mim, esta camisola é mais bonita.	5. Amanhã só devo chegar **pelas** 10 horas.

Faça mais frases com as duas preposições.

_____

_____

_____

_____

_____

_____

_____

_____

Expressões

Então, o que se passa?	Posso ajudar?
Ela tem razão.	Quanto custam?
Pois é!	Mais alguma coisa?
Acha que...?	É tudo?
Não sei.	Quanto é tudo?
Posso ver?	Qual é o tamanho?
Posso experimentar?	As melhoras!

C. Fonética

A letra z pode ter dois sons diferentes.
Ouça as seguintes palavras e repita-as.

zona / fazem / dizem / zangado / dizemos / zebra / fazemos / trazemos	faz / traz / rapaz / capaz / diz / satisfaz / cartaz / vez / voz /nariz

APÊNDICE GRAMATICAL

1 Presente do Indicativo - verbos irregulares

	dar
eu	*dou*
tu	*dás*
você/ela/ele	*dá*
nós	*damos*
vocês/elas/eles	*dão*

	doer	
	dói	*Dói*-me a cabeça
	doem	*Doem*-lhe os dentes

2 Imperativo – verbos regulares

Usa-se para *ordens, pedidos ou instruções*.

Presente do Indicativo (1ª pessoa do singular)	IMPERATIVO		
	tu (neg.)	você	vocês
- **ar** → eu fal~~o~~	Não fal**es**!	Fal**e**!	Fal**em**!
- **er** → eu com~~o~~	Não com**as**!	Com**a**!	Com**am**!
- **ir** → eu ab~~o~~	Não abr**as**!	Abr**a**!	Abr**am**!

Presente do Indicativo (3ª pessoa do singular)	IMPERATIVO
	tu (afirmativo)
- **ar** → ela/ele fal**a**	Fal**a**!
- **er** → ela/ele come	Com**e**!
- **ir** → ela/ele abre	Abr**e**!

3 Demonstrativos - variáveis

	Singular		Plural	
	masculino	**feminino**	**masculino**	**feminino**
aqui	este	esta	estes	estas
aí	esse	essa	esses	essas
ali	aquele	aquela	aqueles	aquelas

4 precisar de / dever

precisar de	. necessidade	**Preciso de ir** ao supermercado.
dever	. obrigação moral	**Devemos** ajudar os outros.
	. conselhos	**Deves** comer mais fruta.
	. probabilidade	Hoje não **deve** chover.
	. dívidas	**Devo** algum dinheiro ao meu pai.

5 para / por

para	*por*
. direcção/ destino Este autocarro vai **para** o Porto.	**. caminho** Este autocarro passa **pela** minha casa.
. objectivo Eu estou em Portugal **para** aprender português.	**. motivo/justificação** Ela não vem à reunião **por** estar doente.
. data limite **Para** quando é que precisa do carro pronto?	**. período de tempo** Fico em Lisboa **por** duas semanas.
. opinião **Para** mim, esta camisola é mais bonita.	**. tempo aproximado** Amanhã devo chegar **pelas** 10 horas.
	. troca/ dinheiro Vendo-te a minha bicicleta **por** 150 euros.

UNIDADE DE REVISÃO 2

1. Complete as frases com os verbos: <u>saber</u>, <u>poder</u>, <u>conseguir</u> e <u>conhecer</u>.

1. Eu _____ a cidade do Porto muito bem.
2. Hoje à noite eu não _____ sair, porque tenho de preparar um relatório para amanhã.
3. Desculpe, mas o senhor não _____ estacionar aqui. É proibido.
4. - (Tu) _____ andar de bicicleta?
   - _____, mas não _____ andar durante 1 hora como tu.
5. Desculpe, _____ dizer-me as horas, por favor?
6. Nós ainda não _____ compreender o noticiário na televisão.
7. - _____ sentar-me nesta cadeira?
   - Claro. Sente-se.
8. Nós ainda não _____ a nova professora de português.
9. -Ela _____ nadar muito bem. Não achas?
   -Acho. Com mais treino, acho que ela vai _____ ir aos Jogos Olímpicos.
10. (Tu) _____ algum livro sobre o vinho português ?

2. Responda às perguntas, utilizando os <u>possessivos</u> e os <u>demonstrativos</u> adequados.

Exemplo:

De quem é essa cerveja? (eu)
Esta cerveja é ***minha.***

1. De quem são estes óculos? (eu)

   _____.

2. De quem é esse cartão? (ele)

   _____.

3. De quem é aquela garrafa de vinho? (vocês)

   _____.

4. De quem são estes impressos? (o senhor)

   _____.

5. De quem é esta cadeira? (tu)

   _____.

6. De quem é aquele carro? (eles)

_____ .

7. De quem são essas revistas? (eu)

_____ .

3. Seleccione a resposta adequada para cada pergunta.

1. Então, como se sente?

2. Faça o favor de dizer.

3. Como é a tua directora?

4. Bom dia, queria abrir uma conta à ordem.

5. Os sapatos naquela sapataria são caros?

6. Qual é o empregado desta mesa?

7. Queria uma camisola destas, mas não tem uma maior?

8. Deseja mais alguma coisa?

9. Logo não posso ir com vocês ao cinema.

10. Vou almoçar. Volto às 14 horas.

a. Então, até logo.

b. É muito simpática.

c. Não, é tudo.

d. Olhe, queria este jornal e aquela revista.

e. Não, não tenho.

f. Que pena!

g. Com certeza. Pode preencher este impresso, por favor?

h. Estou melhor, obrigado.

i. É aquele ali, baixo e louro.

j. Não, são baratos.

4. Junte A + B e forme frases.

A	B
1. No Inverno	a) há muito tempo.
2. Quando está frio,	b) é mais quente do que na Inglaterra.
3. O Verão em Portugal	c) vou estudar para a Alemanha.
4. No próximo mês de Setembro	d) já está ocupada?
5. Ao fim-de-semana	e) chove muito.
6. Esta mesa	f) duas bicas, por favor.
7. Queria	g) jogo sempre ténis com a minha colega.
8. Eu já estudo português	h) conta, por favor.
9. Traga-me a	i) visto sempre roupa quente.

5. Faça perguntas sobre as partes sublinhadas.

   1. <u>No sábado</u> ele vai <u>à praia</u> <u>com os colegas.</u>
      a)_____?
      b)_____?
      c)_____?

   2. Ela mora <u>no Porto</u> <u>há 3 anos e meio.</u>
      a)_____?
      b)_____?

   3. <u>Os empregados da livraria</u> estão a arrumar <u>os livros</u> <u>nas prateleiras.</u>
      a)_____?
      b)_____?
      c)_____?

   4. Nós vamos <u>para a escola</u> <u>todos os dias</u> <u>de bicicleta.</u>
      a)_____?
      b)_____?
      c)_____?

   5. Dói-me <u>a cabeça.</u>
      a)_____?

   6. No Natal <u>os meus tios</u> dão-me sempre <u>um livro.</u>
      a)_____?
      b)_____?

6. Siga o exemplo.

        Esta camisola é muito cara.
        Não tem outra ***mais barata?***

   1. Estas calças são muito pequenas.
      Não tem _____?

   2. Este artigo é muito difícil de compreender.
      Não tem _____?

   3. Dizem que este filme é muito mau.
      Não queres ir ver _____?

   4. Este quarto é muito escuro?
      Não tem _____?

   5. Essa praia é muito longe.
      Não queres ir para _____?

7. Escreva uma palavra ou expressão <u>equivalente.</u>

tomar uma bica = _____

muito difícil = _____

muito grande = _____

morar = _____

estou com (frio) = _____

muito bom = _____

muito mau = _____

regressar = _____

8. Escreva a palavra <u>contrária</u> e faça uma frase.

abrir ≠ _____ _____

sujar ≠ _____ _____

ir ≠ _____ _____

sair ≠ _____ _____

levar ≠ _____ _____

empurrar ≠ _____ _____

9. Complete o quadro.

Verbo	Substantivo	Adjectivo
		descansado
		trabalhador
	a limpeza	
		compreensível
		chuvoso
	a arrumação	
engordar		
diferençar		
		cozinhado

10. Com cada um destes verbos, uma das expressões <u>não</u> pode ser usada. Assinale-a.

a) tomar   -um duche
           -uma sandes
           -uma bica
           -um comprimido

b) abrir   -a porta
           -uma conta
           -a janela
           -os óculos

c) ver   -um espectáculo
           -televisão
           -uma música
           -um filme

d) fazer   -exercício
           -pesca
           -ginástica
           -campismo

e) tirar   -fotografias
           -os óculos
           -o avião
           -o casaco

f) apanhar -gripe
           -o metro
           -fruta
           -a porta

g) pôr   -o chapéu-de-chuva
           -o cachecol
           -os óculos
           -o casaco

Unidade 7

A. Aconselhar

1- O Joseph é um inglês que está em Lisboa a estudar português [Ler e ouvi e cultura portuguesa. Hoje é sexta-feira e ele está a falar com um amigo português perto da escola.

Joseph: Ufa! Ainda bem que hoje é sexta-feira.

Amigo: É verdade! Então, o que vais fazer no próximo fim-de-semana?

Joseph: Olha, hoje ao fim da tarde chega um amigo meu inglês que vem passar uns dias comigo e estou a pensar em ir com ele a Évora no fim-de-semana. O que é que achas?

Amigo: Acho uma óptima ideia. Évora é uma cidade muito bonita e interessante. Tenho a certeza de que vocês vão gostar.

Joseph: Não queres vir connosco?

Amigo: Não posso. Vocês têm de ir sem mim. Tenho um trabalho para fazer.

Joseph: Que pena! Olha, como é que achas que devemos ir? De camioneta?

Amigo: Não. Aluguem um carro e vão pela auto-estrada.

Joseph: Auto-estrada? Há uma auto-estrada para Évora?

Amigo: Sim. Saiam cedo de Lisboa e vão pela ponte Vasco da Gama. Acho que o teu amigo vai gostar.

Joseph: Sim, é uma ponte muito bonita! E depois? Não é complicado orientar-me?

Amigo: Claro que não! Segues as indicações. Não penses que te vais perder. Saiam é cedo de casa e estejam em Évora antes das 10:00 porque têm de aproveitar bem o fim-de-semana.

Joseph: E o que é que eu devo visitar em Évora?

Amigo: Olha, em Évora vai a um posto de turismo e pede o mapa da cidade. Vocês têm lá muitas coisas para visitar. Logo à noite eu telefono-te e dou-te a morada de um hotel onde costumo ficar quando lá vou: é limpo, central e não é caro.

Joseph: Óptimo!

Amigo: Olha! Agora estou é cheio de fome. Não queres vir almoçar? Falamos durante o almoço.

Joseph: Vamos embora!

2- Numere as seguintes frases, colocando-as na ordem correcta, de modo a ficar com um resumo do texto.

___ Ele está a pensar em ir a Évora.
___ Vão pela ponte Vasco da Gama e depois pela auto-estrada.
___ Hoje é sexta-feira e um amigo inglês vem passar uns dias com ele.
___ O amigo também acha que Évora é uma cidade bonita.
___ O Joseph é inglês, mas está a estudar em Lisboa.
___ Ele e o amigo vão alugar um carro.
___ Eles vão ficar num hotel que o amigo dele conhece.
___ Eles têm de chegar cedo a Évora e lá vão a um posto de turismo e vão pedir um mapa da cidade.

3- Faça perguntas para as seguintes respostas.

1. _____ ?
Hoje é sexta-feira.

2. _____ ?
O Joseph vai a Évora com um amigo.

3. _____ ?
Vão sair de Lisboa no sábado bem cedo.

4. _____ ?
Vão no próximo fim-de-semana.

5. _____ ?
Não, vão de carro.

6. _____ ?
Eles vão pela auto-estrada.

4- Complete o quadro.

Imperativo Verbos irregulares			
	tu (negativa)	*você*	*vocês*
ser	não	seja	
estar	não estejas		
ir	não	vá	
dar	não		dêem

5-

1.Imagine que um colega seu vai a Évora. Dê-lhe alguns conselhos, usando a *forma imperativa* *(tu)* dos seguintes verbos:

Gramática: **forma Imperativa (tu)**

a   Levantar-se cedo.

_____!

b   Fazer a viagem de manhã cedo.

_____!

c   Beber vinho alentejano.

_____!

d   Provar comida alentejana.

_____!

e   Visitar a Igreja das Mercês.

_____!

f   Ver o Templo de Diana.

_____!

g   Dar um passeio a pé.

_____!

h   Trazer uma garrafa de vinho.

_____!

i   Estacionar o carro no parque.

_____!

j   Ir visitar a Universidade.

_____!

2. Agora dê os mesmos conselhos a outra pessoa, usando a *forma imperativa* de *você*.

Gramática: **forma Imperativa (você)**

6 - Transforme as seguintes perguntas em pedidos. Siga o exemplo.

Gramática: **forma Imperativa**

Exemplo:

> - Dás-me uma garrafa de água?
> - **_Dá_**-me uma garrafa de água, por favor.

1. Dizes-me as horas?

   _____

2. Telefona ao seu amigo?

   _____

3. Traz-me uma coca-cola?

   _____

4. Pedem-lhe as informações?

   _____

5. Pões-me água no copo?

   _____

6. Levas-lhes o mapa?

   _____

7. Perguntas o caminho àquele senhor?

   _____

8. Mostras-me a cidade?

   _____

9. Fazes-me um favor?

   _____

10. Estão à porta da minha casa cedo?

    _____

11. Dás o teu mapa ao Joseph?

    _____

12. Vão buscar-me às oito horas?

    _____

B. Direcções e instruções
1-   Mapa do Metro de Lisboa

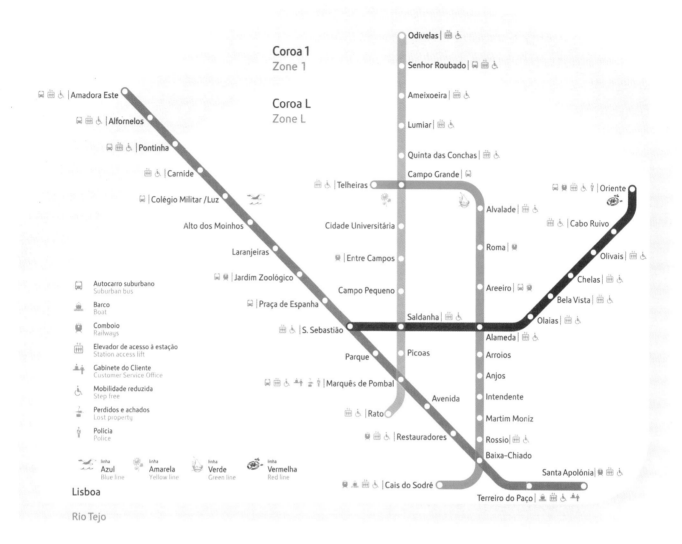

Este é o mapa do **Metropolitano de Lisboa.** Como vê, existem 4 linhas assinaladas com cores diferentes.

O ano de 1998 foi muito importante para Lisboa e para os portugueses em geral: foi o ano da **Expo 98**. Desde então, muitos portugueses e estrangeiros vão ao local da Expo 98, que agora se chama **Parque das Nações**. As pessoas que vão de metro têm de sair na **estação do Oriente.**

O Parque das Nações tem um Oceanário onde se podem ver as espécies marinhas que vivem nos cinco oceanos.

Também pode ir assistir a um concerto ou a um acontecimento desportivo no Pavilhão Atlântico ou na Praça Sony.

Mas também, se prefere, pode apenas passear pelas avenidas e pelos jardins, ao longo do rio Tejo, e apreciar a paisagem com a Ponte Vasco da Gama e a sua arquitectura muito especial ou fazer compras no enorme Centro Comercial que também tem o nome do navegador português.

2-

1. **Imagine que está na estação de metro do Saldanha** <u>Falar: indicar direcções</u>
   e alguém lhe pergunta como deve ir para o Parque
   das Nações.
   Indique-lhe como ir para a estação do Oriente.
   Pode usar os verbos: *apanhar, mudar, sair.*

   - "Desculpe, eu queria ir para o Parque das Nações. Sabe como é que se vai para lá?"

   "Olhe, para o Parque das Nações o senhor tem de sair na estação do Oriente.

   Então, _____

   _____

   _____

   _____

   _____

   _____

2. **Agora imagine que está no Rossio e precisa de ir para o Campo**
   Grande. Quantas vezes tem de mudar de metro?

Mapa de Lisboa

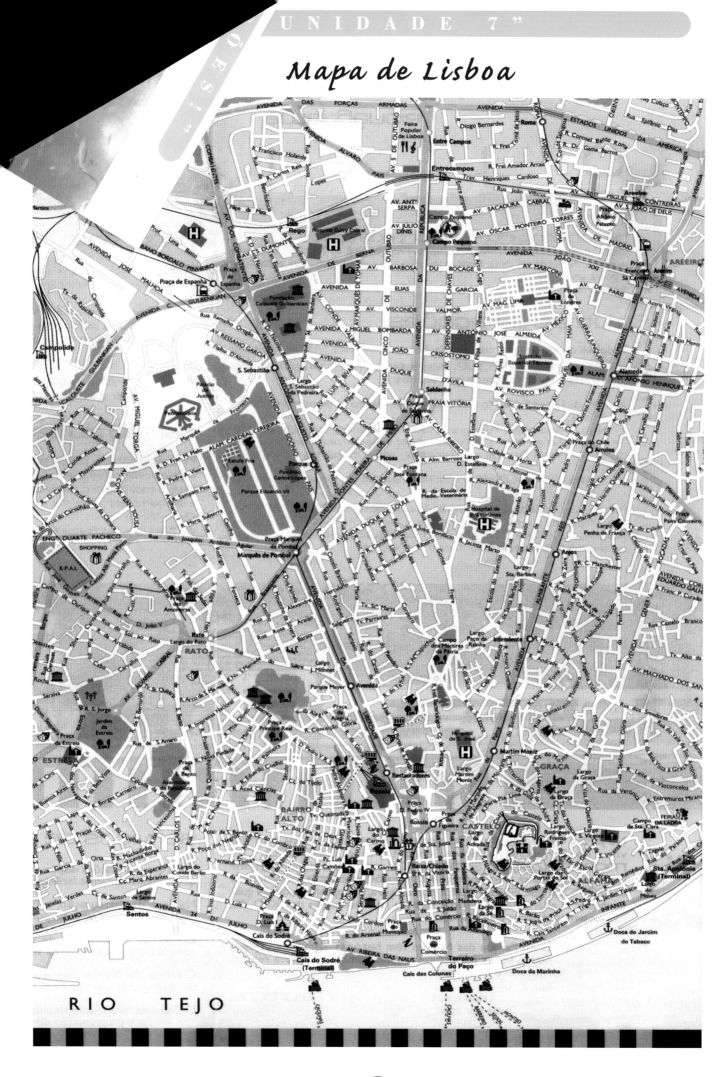

A **Fundação Calouste Gulbenkian** fica na praça de Espanha, em Lisboa. A Fundação tem um lindo jardim, uma exposição permanente de arte antiga e um Centro de Arte Moderna, uma sala para congressos e conferências, uma companhia de bailado e uma orquestra. Além disso, tem dois restaurantes/cafetarias muito agradáveis com grandes janelas para os jardins.

D I R E C Ç Õ E S			
seguir *ir*	em frente	a rua a avenida o cruzamento	
seguir *ir*	pela rua… pela avenida…	a praça o passeio a passadeira	
cortar *virar*	na rua …	o semáforo a primeira rua a segunda rua	à direita à esquerda
atravessar			

1. Agora olhe para o mapa da cidade de Lisboa. Imagine que você encontrou uma pessoa na Praça Marquês de Pombal que lhe pergunta o caminho para a Fundação Calouste Gulbenkian.

Falar: indicar direcções

Dê-lhe as instruções sobre o melhor caminho, utilizando a *forma imperativa* de *você*.

- **Sr. X:**   "Desculpe, podia dizer-me onde fica a Fundação Calouste Gulbenkian?"

- **Você:**   "Com certeza. Olhe,

_____
_____
_____
_____
_____ "

2. Agora imagine outras localizações e direcções.

Falar: indicar direcções

4-

Ler

Évora é uma cidade de origem romana que mais tarde foi ocupada durante 5 séculos por muçulmanos. Podemos, ainda hoje, encontrar as influências destas duas culturas.

No centro da cidade de Évora, que se encontra rodeado por muralhas romanas, há várias igrejas e monumentos para visitar.

O João é um escuteiro de Lisboa. Este fim-de-semana estão a acampar num local perto de Évora. Ele tem 11 anos e pertence aos exploradores. O dirigente dos exploradores divide os jovens em pequenos grupos de 5 elementos para fazer um jogo de pista. Cada grupo (patrulha) recebe um papel com instruções que tem de seguir.

Mapa de Évora

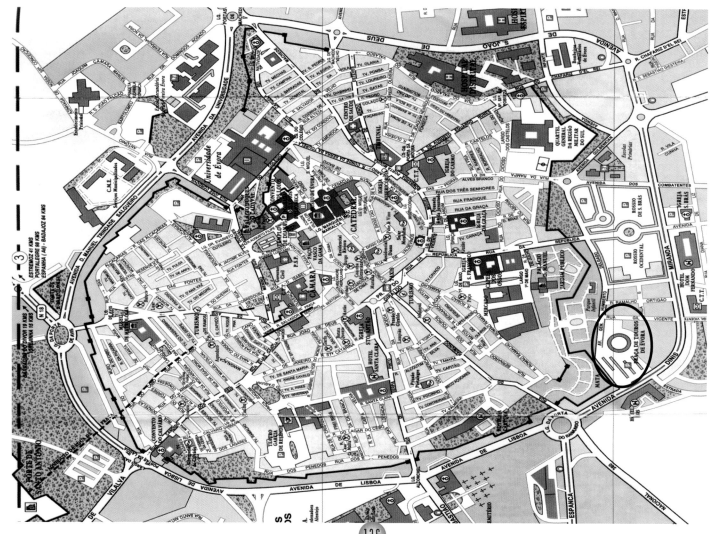

1. Estas são as instruções que o João, que é o guia do seu grupo, tem nas mãos. Leia as instruções e sublinhe as *formas verbais* no *Imperativo*.

Ler e compreender instruções

- *Vão até à Praça de Touros.*
- *Entrem na cidade pela Rua da República que passa pelo jardim.*
- *Vão ao jardim e apanhem uma pedra do chão.*
- *Sigam em frente e cortem à esquerda.*
- *Vão por essa rua sempre em frente.*
- *Estão na praça do Giraldo? Então vão ao café "Arcada".*
- *Peçam uma coca-cola de lata e tragam a lata.*
- *Virem à direita na rua que tem o nome da data do fim da monarquia em Portugal.*
- *Nessa rua, procurem uma porta que tem um ramo de flores nos degraus.*
- *Tirem uma flor e tragam a flor convosco.*
- *Virem à esquerda.*
- *Estão na rua que tem o nome do homem que descobriu o caminho marítimo para a Índia? Então, estão no caminho certo. Aí, vão encontrar um senhor com postais de Évora. Peçam-lhe um.*
- *Agora virem à esquerda, olhem em frente e procurem umas ruínas de um monumento muito, muito antigo.*

a. Trace o caminho que o João e os colegas têm de fazer.

b. Quantas vezes é que eles têm de parar?

c. Quantos objectos é que eles têm de levar com eles? Quais?

d. Qual é o ponto de chegada?

2. Agora pense num local de partida e num de chegada e indique o caminho a um colega ou ao professor. No final, confirme se ele chega ao local correcto.

Falar: indicar direcções

5- *Descreva* a sua cidade. Não se esqueça de referir:

Falar: descrever cidade

- quantos habitantes tem;
- como são as casas típicas;
- se tem monumentos, jardins …

6- Imagine que um colega vai visitar a sua cidade. Dê--lhe alguns conselhos, usando a *forma imperativa*. Refira:

Falar: aconselhar

- a melhor época para visitar a cidade;
- locais a visitar;
- que roupa deve levar;
- onde e o que deve comer.

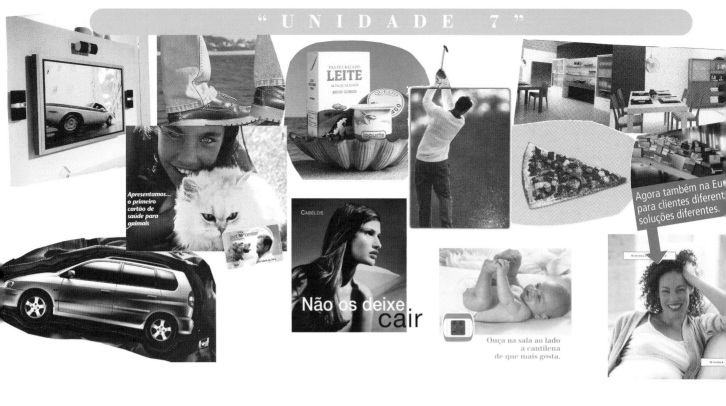

7- **As frases abaixo pertencem a <u>anúncios</u> de <u>publicidade</u>.**
O que é que acha que eles estão a anunciar?

Vocabulário: relacionar
publicidade com produto

Companhia de telefone / Banco: crédito à habitação / Ginásio / Compras
pela Internet / Companhia aérea / Cartão de crédito / Turismo nacional /
Marca de automóvel

1. Prepare o corpo para o Verão. Parta à conquista dos músculos.

2. Descubra a sensação de conduzir na mais perfeita e completa liberdade.

3. Vá às compras com o seu novo cartão e ganhe muitos pontos.

4. Conquiste esta taxa e pague menos pela sua nova casa.

5. Vai de férias? Vá para fora cá dentro.

6. Viaje em segurança. Prefira a nossa companhia.

7. Poupe tempo e dinheiro nas suas deslocações. Não vá.

8. Faça as suas compras em *direct shop* e navegue grátis durante 1 ano.

Expressões

Ainda bem.	Óptimo!
É verdade!	Vamos embora!
Acho uma óptima ideia.	Saiam é cedo de casa.
E depois?	Agora estou é cheio de fome.
Claro que não!	Desculpe, podia dizer-me onde fica...

C. Fonética

A letra g tem diferentes leituras, que obrigam a certas regras de escrita.
Leia, por favor:

ga	*ge*
gue	*gi*
gui	
go	
gu	

Ouça as seguintes palavras e repita-as.

A *ga*rrafa **B** *ge*sto
*ga*to *ge*ntil
pa*ga*r a*ge*nda
pa*gue* a*gi*r
*gue*rra rea*gi*r
se*gui*ntes *gi*rar
*gui*tarra re*gi*sto
*gui*ar a*ge*ndar
*go*rro a*ge*nte
*go*sto
a*go*ra
a*gu*entar
*gu*arda
*gu*ardar

APÊNDICE GRAMATICAL

 ## Imperativo - verbos irregulares

Usa-se para *ordens*, *pedidos* ou *instruções*.

IMPERATIVO			
Verbos irregulares			
	tu (negativa)	você	vocês
ser	*não sejas*	*seja*	*sejam*
estar	*não estejas*	*esteja*	*estejam*
ir	*não vás*	*vá*	*vão*
dar	*não dês*	*dê*	*dêem*

 ## Indefinidos

A

	Singular		Plural	
	masculino	feminino	masculino	feminino
	nenhum	*nenhuma*	*nenhuns*	*nenhumas*
	algum	*alguma*	*alguns*	*algumas*
pessoas	*muito*	*muita*	*muitos*	*muitas*
ou	*pouco*	*pouca*	*poucos*	*poucas*
coisas	*todo*	*toda*	*todos*	*todas*
	outro	*outra*	*outros*	*outras*

Exemplos:

Esta biblioteca tem ***alguns*** livros muito interessantes.
Hoje está ***muito*** calor.
Não está ***nenhum*** aluno na sala.
Todos os quartos estão limpos.

B

	Indefinidos invariáveis
pessoas	*alguém ninguém*
coisas	*tudo nada*
pessoas e coisas	*cada*

Exemplos:

Neste escritório, ***cada*** pessoa tem um computador.
Está ***alguém*** na casa de banho?
Gosto de ***tudo*** o que esta loja tem.
A esta hora ***não*** está ***ninguém*** no escritório.

APÊNDICE GRAMATICAL

 Preposições + Pronome pessoal

Depois de uma preposição (*para, por, de, sem...*), alguns pronomes pessoais têm uma forma especial.

eu ⟶ ***mim***
tu ⟶ ***ti***
você ⟶ ***si***

Exemplos:

> Este presente é <u>para</u> ***ti***.
> Estão a falar <u>de</u> ***mim***?

Unidade 8

A. Falar sobre tradições

1- O Joseph está com o amigo português à porta da Praça de Touros do Campo Pequeno.

Ler e ouvi

Amigo: Já foste a uma tourada?

Joseph: Não, em Portugal nunca fui. Quando estive em Espanha, fui com a minha namorada, mas não achámos muito interessante. Tivemos de sair antes do final da tourada, porque ela ficou bastante impressionada.

Amigo: Não, mas olha que em Portugal não é assim. Também é um espectáculo com muita tradição, mas é diferente. Aqui é proibido matar o touro na arena. Em Espanha mataram o touro, não foi?

Joseph: Mataram. Para mim, essa foi a parte menos interessante. Como é, então, em Portugal?

Amigo: Em Portugal, o toureiro não é tão importante como em Espanha, porque apenas serve para distrair o touro com a capa vermelha. A figura principal é o cavaleiro que tem que ter um cavalo muito bem treinado.

Joseph: Então e o touro?

Amigo: O cavaleiro tem bandarilhas que tem de espetar no touro.

Joseph: Que horror! O touro deve sofrer imenso.

Amigo: Há pessoas que dizem que não, mas eu sinceramente acho que sim. Ah! Mas depois disso, vem a parte mais gira: são os forcados.

Joseph: Os forcados?

Amigo: São eles que fazem a pega. Têm de agarrar e imobilizar o touro. Esta é a parte mais perigosa.

Joseph: Sem nada nas mãos? É preciso coragem! E os portugueses gostam de tourada?

Amigo: Bem, há muitas opiniões. Muitas pessoas são totalmente contra a tourada, outras são grandes aficionados e há algumas que pensam que o touro devia morrer na arena, em frente do público, como em Espanha.

Joseph: Ah! Já vi um ou dois cartazes da Associação Protectora dos Animais contra a tourada.

Amigo: Pois é! É uma grande polémica. Mas, afinal, queres ir à tourada, ou não?

Joseph: Hum... Não sei. Vou pensar e depois digo-te.

2 - **Escolha a melhor alternativa para completar as frases sobre o texto.**

1. A tourada é um espectáculo que existe
- a] só em Portugal.
- b] em Portugal e em Espanha.
- c] só em Espanha.

2. O Joseph
- a] gostou imenso da tourada que viu em Espanha.
- b] não gostou muito da tourada que viu na Espanha.
- c] detestou a tourada que viu em Espanha.

3. Em Portugal
- a] não podem matar o touro em público.
- b] podem matar o touro em público.
- c] matam sempre o touro em público.

4. Em Portugal
- a] o toureiro é a figura principal.
- b] o cavaleiro é a figura principal.
- c] os forcados são as figuras principais.

5. O cavaleiro tem de
- a] espetar as bandarilhas.
- b] distrair o touro.
- c] pegar o touro.

6. Os forcados
- a] atacam o touro.
- b] imobilizam o touro.
- c] distraem o touro.

7. Em Portugal
- a] todas as pessoas gostam de tourada.
- b] ninguém gosta de touradas.
- c] muitas pessoas gostam de touradas.

3 -

Faça perguntas para as seguintes respostas.

1. _____.

Estão a falar sobre a tourada.

2. _____.

O toureiro distrai o touro com uma capa vermelha.

3. _____.

Fazem a pega.

4. _____.

Não, em Portugal é proibido matar o touro.

5. _____.

São as pessoas que gostam muito de tourada.

4- Fala

1. **E você? Já foi a alguma tourada?**

2. **Qual é a sua opinião sobre a tourada?**

3. **No seu país há alguma festa ou espectáculo típico ou tradicional? Explique como é.**

4. **Conhece ou já viu alguma actividade ou espectáculo especial e específico de uma cultura comparável à tourada?**

5- **Destes 14 argumentos, 8 são *a favor* da tourada e 7 *são contra*. Coloque-os no local correcto do quadro.**

> Selecionar argumentos
> **contra** e *a favor*

1. É uma tradição e temos de respeitar e manter as tradições.
2. É um espectáculo que revela o espírito sádico das pessoas.
3. É um espectáculo com muita cor e beleza.
4. As pessoas criticam a tourada, mas depois comem carne.
5. O touro é um animal e os animais também sofrem.
6. Só com os forcados é que o espectáculo é justo.
7. É um espectáculo que testa a coragem do homem.
8. Não podemos conservar todas as tradições.
9. A tourada faz parte da cultura portuguesa.
10. É um espectáculo bárbaro.
11. É um espectáculo justo, porque é tão perigoso para o homem, como para o animal.
12. Todos podemos ver o sangue do touro. Por isso, o touro sofre bastante.
13. O touro é um animal selvagem.
14. Não é um espectáculo justo. O cavaleiro está armado e está em cima de um cavalo.

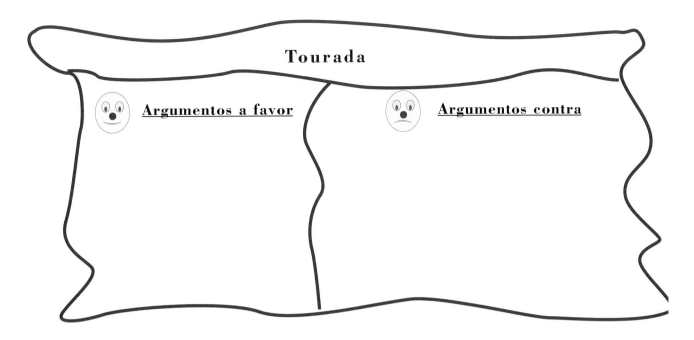

6-

1. Complete o quadro.

Gramática: completar quadro
com verbos no **P. P. S.**

Pretérito perfeito simples		
ser / ir	**estar / ter**	
eu _____	eu _____	eu _____
tu _____	tu _____	tu _____
ele _____	ele _____	ele _____
nós _____	nós _____	nós _____
eles _____	eles _____	eles _____

2. Repare nos exemplos.

Gramática: fazer frases com verbos
ser, ir, estar e **ter** no **P.P.S.**

1. Já *foste* a uma tourada?
   Não, nunca *fui*.

2. Essa *foi* a parte menos interessante.

3. Quando *estive* em Espanha...

4. *Tive* de sair antes do final da tourada.

Faça mais alguns exemplos com os verbos *ser, ir, estar* e *ter* no
P.P.S.

3. Siga o exemplo, usando o verbo *ir*.

Gramática: responder com o
verbo **ir** no **P.P.S**

> - *Já foram* ao Porto?
> - Sim, *já fomos.*
>   ou
> - Não, *ainda não* fomos.

a. Já foste ao Parque das Nações?

Sim, _____.

b. Você já foi ao Castelo de S. Jorge?

Não, _____.

c. Já foste à praia este ano?

Sim, _____.

d. Você já foi ver este filme?

Sim, _____.

4. Agora continue a colocar perguntas aos colegas ou ao professor.

Falar: perguntas e respostas
com o verbo **ir** no P.P.S.

5. Siga o exemplo e faça perguntas aos colegas ou ao professor.

Falar: perguntas e respostas
com o verbo **estar** no **P.P.S**

> - *Já estiveste* em Madrid?
> - Sim, **já** lá **estive.**
>   ou
> - Não, **nunca** lá **estive.**

6. Siga o exemplo e pratique com os colegas.

Gramática: verbo **ser** no **P.P.S.** e
revisão dos **graus dos adjectivos**

> filme / bom
> - O filme foi *bom*?
> - Não, foi *péssimo*.

a. bilhetes / baratos

b. espectáculo / mau

c. corrida / difícil

d. festa / chata

e. conferência / longa

f. viagem / boa

7. Complete as frases com os verbos *ser, ir, ter* ou *estar* no P.P.S.

a. Os forcados _____ para a arena de mãos vazias.

b. O cavaleiro _____ problemas com o cavalo.

c. A tourada de ontem à noite _____ um espectáculo muito interessante.

d. Os meus amigos _____ na praça de touros até ao final do espectáculo.

e. O cavaleiro _____ que trocar de cavalo.

f. Os bilhetes para a tourada _____ muito caros.

g. Ontem nós _____ à praça de touros.

h. Ontem nós _____ na praça de touros.

8. Responda às perguntas, como no exemplo.

> - **És** estudante?
> - Não **sou**, mas já **fui**.

1. Estás chateado?

2. Vocês têm um carro branco?

3. Tens problemas com os verbos?

4. Vais à tourada hoje à noite?

5. Você é secretária?

6. Vocês estão cansados?

7. A tourada é um espectáculo muito popular?

8. O cavaleiro tem uma bandarilha na mão?

B. Falar sobre o passado

1- Conjugue no P.P.S. os seguintes verbos: *falar, telefonar, acabar, compreender, correr, beber, sentir, ouvir* e *repetir*.

P.P.S		
Verbos regulares		
-ar	*-er*	*-ir*
eu _____ *ei*	eu _____ *i*	eu _____ *i*
tu _____ *aste*	tu _____ *este*	tu _____ *iste*
ele _____ *ou*	ele _____ *eu*	ele _____ *iu*
nós _____ *ámos*	nós _____ *emos*	nós _____ *imos*
eles _____ *aram*	eles _____ *eram*	eles _____ *iram*

2- **Faça frases com os seguintes verbos no <u>passado</u>:**

Gramática: **verbos regulares** no P.P.S

A

1. Ontem eu _____ . (ficar)
2. Na semana passada tu _____ ? (encontrar)
3. No ano passado ele _____ . (comprar)
4. No fim-de-semana passado nós _____ . (passear)
5. Anteontem eles _____ . (trabalhar)

B

1. No sábado passado eu _____ . (escrever)
2. Ontem tu _____ . (ler)
3. Há dois anos ele _____ . (receber)
4. Há uma semana elas _____ . (vender)
5. Hoje de manhã nós _____ . (comer)

C

1. Há quanto tempo é que tu _____ ? (partir)
2. Quem é que _____ ? (abrir)
3. No domingo passado nós _____ . (repetir)
4. Ontem à noite eles _____ . (preferir)
5. Hoje eu _____ . (vestir)

3- **Complete o texto com os verbos conjugados no P.P.S. e depois ouça-o.**

Completar texto com a **formas verbais**

No fim-de-semana passado

No sábado passado, o Joseph _____ (decidir) ir novamente a Sintra. _____ (convencer) o amigo e _____ (ir) os dois de comboio até à vila e _____ (visitar) o Palácio de Sintra. A seguir, _____ (entrar) num café e _____ (pedir) duas queijadas. O Joseph _____ (beber) um galão escuro e o amigo preferiu uma bica. Depois, _____ (subir) a serra a pé até ao Palácio da Pena.

O Joseph _____ (adorar) a paisagem. Ele já lá _____ (ir) mais do que uma vez, mas gosta sempre deste passeio. _____ (descer) a serra, mas no caminho _____ (encontrar) um pequeno restaurante e _____ (decidir) comer qualquer coisa. _____ (chegar) a casa cansados, mas _____ (descansar) um pouco e _____ (combinar) encontrar-se outra vez às 20:30. _____ (ir) jantar com alguns amigos e _____ (passar) uma noite como muitos jovens portugueses gostam: _____ (comer), _____ (beber), _____ (conversar), _____ (dançar) e, é claro, _____ (voltar) tardíssimo para casa. No domingo, o Joseph _____ (dormir) até à hora do almoço.

4 - Este foi o fim-de-semana do Joseph. Faça 5 perguntas sobre o texto aos seus colegas.

5 - Agora, responda oralmente às seguintes perguntas e, se possível, desenvolva as suas respostas.

1. Teve aulas de português na semana passada? O que é que aprendeu?
2. Qual foi o último filme que viu no cinema? Gostou? Porquê?
3. Comprou alguma coisa interessante na semana passada? O quê?
4. Como foi o fim-de-semana passado? O que fez ?

6 - Faça perguntas para estas respostas, usando os verbos no *P.P.S.*

1. _____ ?
   Porque tive de trabalhar até mais tarde.
2. _____ ?
   Fui a Sintra.
3. _____ ?
   Fui, sim.
4. _____ ?
   Não, não falei com ele, mas falei com a secretária dele.
5. _____ ?
   Estive na biblioteca.

7 - Relacione cada desenho com as acções correspondentes. Diga o que eles fizeram hoje de manhã, conjugando os verbos no *P.P.S.*

A

B

C

D

E

- Levantar-se às 8:00 e tomar um duche
- Tomar o pequeno-almoço no hotel
- Sair e ir a pé para o centro da cidade do Porto
- Visitar a Sé e passear na zona da Ribeira
- Atravessar a ponte
- Visitar as Caves do vinho do Porto
- Almoçar

- Levantar-se cedo
- Preparar o saco da praia
- Encontrar-se com os amigos
- Apanhar a camioneta
- Chegar à praia
- Estender a toalha
- Apanhar sol
- Comer uma sandes
- Beber um sumo
- Voltar para casa

- Levantar-se e acordar os filhos
- Vestir os filhos
- Preparar o pequeno--almoço para a família
- Levar os filhos à escola
- Ir ao supermercado
- Limpar o pó, aspirar e arrumar a casa
- Preparar o almoço
- Ir buscar os filhos à escola
- Almoçar com a família

- Levantar-se cedo
- Arranjar-se e tomar o pequeno-almoço
- Chegar cedo ao escritório
- Ter uma reunião às 9:30
- Receber um cliente às 10:30
- Ler dois relatórios importantes
- Telefonar para Roma e Madrid
- Ter um almoço de negócios às 13:30

- Levantar-se às 10:00
- Ir para a biblioteca
- Estudar durante duas horas
- Almoçar na Faculdade
- Ter aulas às 13:00

8-

1. Complete as frases com planos para um dia no futuro.

Gramática: **haver de + Infinitivo** – planos para o futuro

Haver de + Infinitivo		
Um dia eu	*hei-de*	_____.
tu	*hás-de*	_____.
ele	*há-de*	_____.
nós	*havemos de*	_____.
eles	*hão-de*	_____.

2. Siga o exemplo e responda às perguntas.

Gramática: **P.P.S./haver de + Infinitivo**

- Já foste ao Japão?
- Ainda não fui, mas *hei-de* ir.

a. Ela já te telefonou?

_____.

b. Vocês já visitaram a Sé?

_____.

C. Eu fui seleccionado?

_____.

d. Já tiveste um carro descapotável?

_____.

e. Você já comeu cozido à portuguesa?

_____.

f. Ele já vos visitou?

_____.

g. Vocês já foram a Sintra?

_____.

h. Já mudaste de casa?

_____.

9- **Antes de ler, ouça o diálogo ao telefone e responda.**

Compreensão oral de diálogo ao telefone

Verdadeiro ou falso?

1. O Pedro telefona para a Susana. | V | F |

2. A Susana convida o Pedro para um concerto. | V | F |

3. O Pedro vai com a Susana. | V | F |

4. O Pedro já foi ao concerto. | V | F |

5. O Pedro foi sozinho. | V | F |

6. O Pedro e o amigo não gostaram do concerto. | V | F |

7. No próximo concerto, o Pedro vai com a Susana. | V | F |

- Está?
- Está? Pedro?
- Sim. Quem fala?
- Sou eu, a Susana.
- Ah, olá Susana. Então, tudo bem?
- Tudo bem. Olha, queres ir amanhã à noite ao concerto no Centro Cultural?
- Oh! Já fui. Fui ontem com o Paulo.

- Ah, já? E gostaram?
- Adorámos. É um excelente espectáculo. No próximo concerto vamos todos juntos.
- Está combinado.
- Na segunda-feira encontramo-nos na faculdade.
- Está bem. Até segunda!
- Até segunda, Susana.

Expressões

Que horror!	Está?
Mas, afinal, queres ir, ou não?	Quem fala?
Pois é!	Então, tudo bem?
Já foste...?	Está combinado.
Ainda não fui, mas hei-de ir.	

C. Fonética

A letra c tem diferentes leituras.

ca	*ça*
(que)	*ce*
(qui)	*ci*
co	*ço*
cu	*çu*

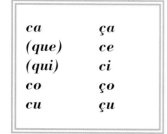

Ouça as palavras e repita-as.

[K]

casa	quero	quinta	conta	culpa
acaba	queijo	máquina	escola	procurar
faca	quente	quilo	copo	particular

[S]

taça	centro	cidade	faço	açúcar
faça	cedo	fácil	aqueço	muçulmano
caça	cem	cinto	mereço	açucena

Pretérito perfeito simples (P.P.S.)

Usa-se para acções pontuais no passado.

	Pretérito perfeito simples			
	ser	ir	estar	ter
eu	*fui*		*es*	*tive*
tu	*foste*		*es*	*tiveste*
você/ela/ele	*foi*		*es*	*teve*
nós	*fomos*		*es*	*tivemos*
vocês/elas/eles	*foram*		*es*	*tiveram*

Exemplos:

Ontem **fui** ao cinema.
O empregado ontem **foi** muito simpático.
Anteontem eles **estiveram** na minha casa.
Na semana passada **tivemos** exame de Matemática.

 ## P.P.S: verbos regulares

	P.P.S.		
	Verbos regulares		
	-ar	-er	-ir
eu	*-ei*	*-i*	*-i*
tu	*-aste*	*-este*	*-iste*
você/ela/ele	*-ou*	*-eu*	*-iu*
nós	*-ámos*	*-emos*	*-imos*
vocês/elas/eles	*-aram*	*-eram*	*-iram*

 ## *já; ainda não; nunca*

Exemplo:

- **Já** visitaste o Porto?
- Sim, **já** visitei. / Não, **ainda não** visitei, mas vou visitar. / Não, **nunca** visitei.

4

Haver de + Infinitivo:

Usa-se para intenções em relação ao futuro.

Um dia eu **hei-de ir** ao Brasil.

tu **hás-de vir** à minha casa.

ela **há-de visitar**-te.

nós **havemos de comer** comida japonesa.

eles **hão-de comprar** uma casa nova.

Unidade 9

A. Preparar uma festa

1-

Hoje é dia 3 de Junho e o André faz 9 anos. A mãe, a Cristina, está a preparar uma festa para o aniversário do filho. A irmã mais velha do André, a Inês, ajudou a mãe, e o pai também deu uma ajuda. O André convidou muitos amigos e os primos também vêm. Ele entregou um convite a cada um e eles vão começar a chegar às 15 horas. Agora são 14 horas e a avó Margarida também chegou para ajudar.

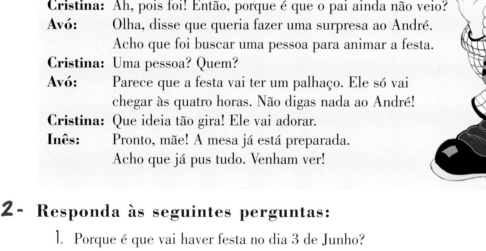

Avó: Então, já preparaste tudo para a festa?

Cristina: Já está quase tudo. Ontem fui ao supermercado e fiz as compras todas. Depois, encomendei o bolo de anos, os salgados e as miniaturas para o meio-dia. Comprei tudo na pastelaria do costume. O Luís acabou de chegar com a encomenda. Este ano não fiz tantas sandes como no ano passado. Ah, é verdade! Trouxe a mousse de chocolate?

Avó: Claro que trouxe. Está aqui no saco. Toma. Põe no frigorífico. Já puseste a mesa?

Cristina: A Inês já pôs. Ontem decorámos a sala com balões. Ficou gírissima. Vá lá ver!

Avó: Já vi, já vi. Já te esqueceste que eu também ajudei?

Cristina: Ah, pois foi! Então, porque é que o pai ainda não veio?

Avó: Olha, disse que queria fazer uma surpresa ao André. Acho que foi buscar uma pessoa para animar a festa.

Cristina: Uma pessoa? Quem?

Avó: Parece que a festa vai ter um palhaço. Ele só vai chegar às quatro horas. Não digas nada ao André!

Cristina: Que ideia tão gira! Ele vai adorar.

Inês: Pronto, mãe! A mesa já está preparada. Acho que já pus tudo. Venham ver!

2- Responda às seguintes perguntas:

1. Porque é que vai haver festa no dia 3 de Junho?

_____.

2. Quem ajudou a preparar a festa?

_____.

3. Quem foi buscar o bolo de anos à pastelaria?

_____.

4. A Margarida é mãe do André e da Inês?

_____.

5. Porque é que o avô não veio com a avó?

_____.

6. Quem é que pôs a mesa?

_____.

3- Quem fez o quê? Coloque as frases na ordem correcta e conjugue os verbos no *P.P.S.*

Compreensão do diálogo: completar, ordenar e conjugar verbos

(pôr) a mesa

1. *O André* _____
_____

(fazer) as sandes

2. _____
_____

(dar) os convites aos colegas

3. _____
_____

(ajudar) a decorar a sala

4. _____
_____

(ir) buscar a encomenda

5. _____
_____

(começar) a chegar à festa às 15:00

6. _____
_____

(encomendar) o bolo

7. _____
_____

(chegar) para animar a festa

8. _____
_____

(ir) ao supermercado

9. _____
_____

4- Este é um dos convites que o André deu aos colegas. Ele esqueceu-se de preencher tudo. Acabe de preencher o convite.

Compreensão: preencher convite

CONVITE

João Miguel Nunes

CONVIDO-TE PARA A MINHA FESTA
NO DIA _____
ÀS _____ HORAS.
LOCAL : *a minha casa* _____

Confirma, por favor até *ao dia 12.*
Telef. *21 3344334*

5- Complete o quadro com o *Pretérito perfeito* dos verbos *trazer* e *dizer*.

P.P.S.			
trazer		**dizer**	
eu	*trouxe*	eu	*disse*
tu		tu	
você		você	
ela/ele		ela/ele	
nós		nós	
vocês		vocês	
elas/eles		elas/eles	

6- Complete o quadro, colocando as formas dos verbos *ver* e *vir* no local correcto.

viste / vieste   vim / vi   vimos / viemos

vieram / viram   viu / veio

P.P.S.	
ver	**vir**
eu	eu
tu	tu
você	você
ela/ele	ela/ele
nós	nós
vocês	vocês
elas/eles	elas/eles

7- Complete o quadro e faça frases.

Presente do Indicativo		P.P.S.	
Hoje	eu *vejo*	Ontem	eu
	nós *trazemos*		nós
	eles *dizem*		eles
	ela *vem*		ela
	tu *vês*		tu
	você *traz*		você
	vocês *vêem*		vocês
	tu *vens*		tu
	eu *digo*		eu
	nós *vemos*		nós
	nós *vimos*		nós
	elas *vêm*		elas

8- **Quem é que pôs a mesa?**

Gramática: verbo **pôr** (P.P.S.)

P.P.S.		
pôr		
Eu	*pus*	a toalha.
Tu	_____	os pratos.
Ele	_____	os talheres.
Nós	_____	os copos.
Elas	_____	os guardanapos.

Vocabulário: pôr a mesa

9- **Vamos pôr a mesa? Coloque os objectos na coluna adequada. Alguns podem ficar nas duas colunas.**

toalha / guardanapos / chávenas / tigelas / copos /
colheres / garfos / facas / pratos / açucareiro / galheteiro

Pôr a mesa	
para o pequeno-almoço	**para o almoço/jantar**

10-

1. **O André está a falar com a tia sobre os presentes que recebeu.**

Ouvir e ler o diálogo

Ouça primeiro o diálogo e depois leia-o.

Tia: Então o que é que os teus pais te deram?
André: Deram-me uma bicicleta nova.
Tia: Ena! E gostaste do que eu e o tio te demos?
André: Adorei. Um colega meu tem esse jogo e há muito tempo que eu queria ter um igual.
Tia: Quem é que te deu esta cassete?
André: Foi a Inês.
Tia: E tu, o que é que lhe deste quando ela fez anos?
André: Dei-lhe uma pulseira.

2. No diálogo encontra todas as formas do verbo *dar* no *P.P.S.* Procure-as e complete o quadro.

P.P.S.
dar
eu
tu
ele
nós
vocês

11-

1. O André recebeu muitos telefonemas de pessoas a darem-lhe os parabéns. Logo de manhã, a Rita, uma amiga da mãe, telefonou-lhe. Ouça a conversa entre eles.

2. Enquanto ouve outra vez o diálogo, complete os espaços.

André:	Está?
Rita:	Está, André?
André:	Sim. Quem _____?
Rita:	Sou a Rita, _____ da mãe.
André:	Ah! Olá!
Rita:	Então, _____ parabéns.
André:	Obrigado.
Rita:	Quantos anos _____ ?
André:	Nove.
Rita:	Já? O tempo passa tão _____! Olha, um grande beijinho e desejo-te um dia muito _____, está bem?
André:	_____.
Rita:	Então, _____ e dá um _____ à tua mãe.
André:	Adeus. Com _____.

3.

À noite, o André foi jantar com os pais e com a irmã a um restaurante chinês. Ele adora comida chinesa. Enquanto eles estiveram fora, a tia Guida, que mora no Porto, telefonou. Quando voltaram, eles ouviram as mensagens no atendedor de chamadas. Esta foi a mensagem da tia Guida.
Ouça-a.

4. Junte A + B e ponha na ordem correcta para ficar com a mensagem que a tia Guida deixou.

A	**B**
O tio também te manda	se gostaste da tua festa.
Fala	para te dar os parabéns.
Amanhã à noite	de dia muito feliz.
Desejo-te um resto	André.
Olá,	um beijinho de parabéns.
Estou a telefonar	telefono outra vez.
Quero saber	a tia Guida.

12- E assim se passou o dia de anos do André.

Os jovens em Portugal festejam os seus aniversários com a família, mas depois vão jantar e festejar com os seus amigos.

Como é no seu país? Como é que festejou o seu último aniversário?

13- Faça corresponder a cada situação a expressão correcta.

Situações	Expressões
1. Uma amiga teve um bebé.	a. Desejo-te as maiores felicidades!
2. Estamos em Dezembro. Vai escrever um cartão de Natal a um amigo.	b. Parabéns.
3. Uma amiga faz anos.	c. Festas Felizes / Feliz Natal e um Próspero Ano Novo.
4. O pai de um amigo faleceu.	d. Muito obrigado.
5. Uma amiga vai casar-se.	e. Os meus sentimentos.
6. Uma amiga ofereceu-lhe um presente.	f. Muitos parabéns e felicidades para o bebé.

14- Preste atenção ao verbo _fazer_ e complete as frases com _tão_ ou _tanto / a / os / as._

Gramática: verbo **fazer** (P.P.S.) completar com **tão/tanto**

P.P.S.

fazer

Eu **fiz** _____ sandes como no ano passado.

Tu **fizeste** o bolo _____ depressa!

Ela **fez** uma festa para _____ gente!

Nós **fizemos** _____ bolos!

Eles **fizeram** uma festa _____ gira!

---

15. Responda oralmente às perguntas <u>só com o verbo.</u>

Gramática: responder oralmente com o verbo

1. Já abriste os presentes?

2. Vocês foram à festa do André?

3. O André fez nove anos?

4. Você disse ao seu irmão que o André faz anos hoje?

5. Trouxeste um presente para ele?

6. Pôs o seu casaco na sala?

7. Vocês vieram de táxi?

8. Viste como a sala está decorada?

9. Deste-lhe os parabéns?

10. O vosso filho não veio?

11. Vocês fizeram uma festa no aniversário dele?

12. Gostaste da surpresa?

13. Leste o cartão que eles te mandaram?

14. Telefonaram ao Miguel?

15. Tiveste muitos presentes no teu aniversário?

16. Foste com o André?

17. Vieste com eles?

18. Estiveste em casa ontem?

19. Vocês ouviram a mensagem?

20. Fizeste muitas sandes?

B. Festas especiais

1-

O Natal

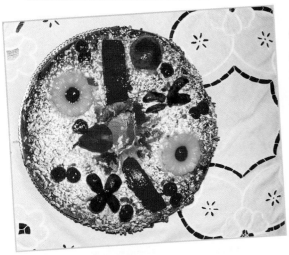

O Natal é uma data muito especial. Os portugueses gostam de oferecer presentes a vários membros da família e também aos seus amigos. No Natal gasta-se muito dinheiro, mas o importante é reunir a família: pais, filhos, avós, tios, primos. Ninguém deve ficar sozinho. Até às 19:00 horas do dia 24, muitos portugueses procuram os presentes de última hora. O movimento nas ruas é enorme. Tudo tem de estar preparado para a noite de Natal.

Na noite do dia 24, a família junta-se para a ceia de Natal: bacalhau cozido com batatas e legumes, para os mais tradicionais; mas também há famílias que preferem peru. Para a sobremesa, a mesa enche-se de doces: fatias douradas, farófias, filhoses, bolo-rei e muitos outros. Come-se muito e também se bebe bastante. Mais tarde, vem o momento que todos esperam: a troca de presentes.

No dia 25, a festa continua com um almoço que também tem de ser especial. A família reúne-se mais uma vez e passa umas horas de convívio alegre, com todos sentados a uma mesa cheia. Mas as crianças preferem passar o dia a brincar com os brinquedos que o Pai Natal lhes ofereceu.

2- Responda às seguintes perguntas.

Fal

1. Indique os aspectos que, segundo o texto, são importantes para os portugueses no Natal.

2. No seu país também se festeja o Natal? É uma festa muito diferente do Natal português? Em que aspectos?

3. Como é que passou o seu último Natal?

4. E como é que festejou a última passagem de ano?

5. Imagine que estamos perto do Natal e você vai telefonar a um amigo para lhe desejar um Natal Feliz. Faça esse telefonema com um colega ou com o seu professor.

6. Agora imagine que o seu colega faz anos hoje. Telefone-lhe e dê-lhe os parabéns.

3-

1. **Antes de ler, ouça os dois diálogos ao telefone e diga qual é a ocasião especial a que cada um deles corresponde:** *casamento / aniversário / Natal / nascimento.*

Compreensão ora

Telefonema	Ocasião
1º.	
2º.	

2. **Agora leia os diálogos ao telefone e faça algumas perguntas sobre os telefonemas.**

Falar: verificar compreensão oral

1º telefonema

A
- Está?
- Está. É da casa da Sofia?
- Sim. Sou eu. Quem fala?
- Já não me conheces? Sou o João.
- Ah! Olá, João! Tudo bem contigo?
- Sim, está tudo bem, obrigado. Olha, estou a telefonar-te para te desejar muitas felicidades. Já recebeste o meu cartão?
- Já, já recebi. Mas, não podes mesmo vir?
- Não, é impossível. Vais casar no mesmo dia em que os meus pais fazem 25 anos de casados. Tenho de ir à festa deles.
- Pois é. Tenho imensa pena.
- Deixa lá! Olha, desejo-te um dia muito feliz e muitas felicidades para ti e para o Mário.
- Obrigada. E dá um beijinho meu aos teus pais.

2º telefonema

B
- Está?
- Está, Paulo? Daqui é o Luís.
- Olá! Como está?
- Bem, obrigado. Olhe, estou a telefonar para lhe desejar um Feliz Natal e um óptimo Ano Novo.
- Obrigado, Luís. Um Feliz Natal para si também. Vai passar o Natal na sua casa?
- Não, este ano vou passar na casa dos meus pais. Bom, vemo-nos no dia 3 de Janeiro na reunião.
- É verdade! Então, até dia 3. Com licença.

Expressões

Acabou de chegar.	Felicidades!
Claro que…	Festas Felizes!
Toma.	Feliz Natal!
Vá lá ver!	Um próspero Ano Novo!
Pois foi!	Os meus sentimentos!
Muitos parabéns!	Quem fala?
Desejo-te um dia muito feliz.	Deixa lá!
Com licença.	

C. Fonética

Os <u>sons nasais</u> são difíceis para alguns estrangeiros.
Ouça com atenção as palavras que têm <u>sons nasais</u> e repita-as.

• fal**am**	• p**õe**
• tiver**am**	• p**õe**m
• co**m**pram	• p**ão**
• volt**am**	• t**ão**
• ve**n**dem	• m**ão**
• se**n**tem	• c**ão**
• tem	• c**ãe**s
• vem	• p**ãe**s
• t**ê**m	• m**ão**s
• v**ê**m	• irm**ão**s
• l**ê**em	• lim**õe**s
• v**êe**m	• a**çõe**s

APÊNDICE GRAMATICAL

 Pretérito perfeito simples: verbos irregulares

	trazer	**dizer**	**fazer**
eu	trouxe	disse	fiz
tu	trouxeste	disseste	fizeste
você/ela/ele	trouxe	disse	fez
nós	trouxemos	dissemos	fizemos
vocês/elas/eles	trouxeram	disseram	fizeram

	ver	**vir**	**pôr**	**dar**
eu	vi	vim	pus	dei
tu	viste	vieste	puseste	deste
você/ela/ele	viu	veio	pôs	deu
nós	vimos	viemos	pusemos	demos
vocês/elas/eles	viram	vieram	puseram	deram

 conseguir / saber / poder

- **conseguir** – ter capacidade de

Exemplos: Não **consigo** compreender este texto. É muito difícil.
Consegues correr 15 km sem parar?

- *saber* – ter conhecimento de
  – saber como fazer alguma coisa

Exemplos: Já **sei** que encontraste a Rita ontem.
Ele **sabe** nadar?

- **poder** – possibilidade
  – permissão
  – proibição

Exemplos: No próximo sábado não **posso** ir com vocês ao futebol. Tenho de estudar.
Posso usar o teu dicionário?
Não **podes** fumar neste restaurante.

UNIDADE DE REVISÃO 3

1. Qual é a expressão correcta para os espaços?

Parabéns!	Que pena!
Boa viagem.	Que bom!
Com licença.	Não faz mal.
Desculpe.	De nada.
As melhoras.	Vamos embora!

1.   - Afinal posso ir à tua festa.

    - _____

2.   - _____, podia dizer-me onde ficam os Correios?

3.   - Muito obrigada pela cassete que me emprestaste.

    - _____

4.   - _____. Tenho que descer na próxima paragem.

5.   - Então, _____! Quantos anos fazes?

6.   - Desculpa, mas esqueci-me completamente de trazer o livro que me pediste.

    - _____

7.   - Ouvi dizer que vocês partem esta noite para Madrid. Então, _____!

    - Obrigado.

8.   - Querem ir ao cinema hoje à noite?

    - _____! Que filme vamos ver?

9.   - No próximo fim-de-semana não posso ir contigo à praia.

    - _____!

10. - Vou para casa. Estou com 38,5° de febre e dói-me imenso a cabeça.

    - Então, até amanhã e _____.

2. Responda às perguntas com o <u>verbo</u> + <u>pronome</u> (<u>reflexo</u> ou <u>indirecto</u>).

1.   - Esqueceste-te das chaves do carro?

    - (eu) _____.

2.   - Disseram aos vossos pais que vão chegar mais tarde?

    - (nós) _____.

3.   - Disse o que se passou ao director?

    - (eu) _____.

4. - Vocês lembraram-se de trazer os vossos bilhetes de identidade?

   - (nós) _____ .

5. - Fazes-me um favor?

   - (eu) _____ .

6. - Trouxeste-me o que te pedi?

   - (eu) _____ .

7. - O senhor já telefonou à sua esposa?

   - (eu) _____ .

8. - Já deram os parabéns à Teresa?

   - (nós) _____ .

3. Faça frases e junte-as com: porque, mas, e, quando ou enquanto.

1. • segunda-feira passada / (eu) ir / médico.
   • ele / só / atender-me / 19 horas.

   _____

   _____

2. • próximas férias / (eu) ir / Paris
   • visitar / Eurodisney.

   _____

   _____

3. • Ontem / João / chegar / atrasado
   • carro / avariar-se.

   _____

   _____

4. • Normalmente / ele / pôr / mesa
   • eu / fazer / jantar.

   _____

   _____

5. • eu / dar-lhe / presente
   • ela / dizer-me / sempre / obrigada.

   _____

   _____

4.

Esta é a Sara. Ela é secretária e ontem foi o seu primeiro dia de trabalho no gabinete do Dr. Santos, numa empresa em Coimbra.

Ela foi substituir a Carla que vai ter um bebé e durante alguns meses não pode ir trabalhar.

Quando a Sara chegou ao trabalho, encontrou na sua secretária uma mensagem da Carla com algumas instruções. Escreva de novo as instruções na **forma imperativa,** utilizando a forma **você** .

A

- *ir* buscar o correio e o jornal à recepção
- *abrir* o correio
- *pôr* os faxes e o jornal na secretária do Dr. Santos
- *fazer* café
- *levar* o café ao Dr. Santos
- *passar* os relatórios no computador
- *confirmar* a reunião com os clientes
- *reservar* uma passagem de avião e hotel para o Dr. Santos para a viagem a Barcelona
- *enviar* as facturas aos clientes
- *atender* o telefone e *anotar* as mensagens

- _____
- _____
- _____
- _____
- _____
- _____
- _____
- _____
- _____
- _____

B

Quando a Sara chegou a casa, a mãe perguntou-lhe o que ela fez no seu primeiro dia de trabalho. O que é que ela respondeu?

- **Fui** buscar o correio e o jornal. _____
_____
_____
_____
_____
_____
_____
_____
_____
_____

5. A que parte do corpo é que se destinam?

1- luvas	a- **pernas**
2- meias	b- olhos
3- gorro	c- braços
4- cachecol	d- pés
5- **calças** (a)	e- mãos
6- óculos	f- cabeça
7- mangas	g- pescoço

6. <u>Tem imaginação?</u> Olhe para estes desenhos e apresente os personagens. Dê o máximo de informações sobre elas: <u>nome</u>, <u>nacionalidade</u>, <u>parentesco</u>, <u>profissão</u>, <u>descrição física</u>, <u>idade</u>, <u>onde vivem</u>, <u>passatempos</u>, etc.

7. Escreva as seguintes frases no plural.

1. O amigo alemão deixou uma mensagem.

   _____

2. O irmão do director também veio.

   _____

3. Faz o exercício da lição, por favor.

   _____

4. O senhor inglês enganou-se na direcção.

   _____

5. Quando estive nesse país, fui a uma festa tradicional muito interessante.

   _____

6. Já viste a exposição?

   _____

7. Gostei imenso do dia que passei contigo.

   _____

8. Você veio ontem à aula?

   _____

8. Lembra-se do Sr. Saraiva? Estas são imagens do dia de ontem do Sr. Saraiva. O que é que ele fez?

_____
_____
_____
_____
_____
_____
_____
_____
_____
_____
_____
_____
_____
_____
_____
_____
_____
_____

 9. a) Ouça cada palavra com atenção e marque a que ouviu.
   b) De seguida, ouça cada palavra e repita-a.

1. vem / vêm	7. sou / só
2. doze / dois	8. seu / céu
3. três / treze	9. vêm / vêem
4. vês / vens	10. traz / atrás
5. costas / gostas	11. faca / vaca
6. viemos / vemos	12. Zé / Sé

10. Escreva uma frase com cada uma das palavras.

1. _____	7. _____
1. _____	7. _____
2. _____	8. _____
2. _____	8. _____
3. _____	9. _____
3. _____	9. _____
4. _____	10. _____
4. _____	10. _____
5. _____	11. _____
5. _____	11. _____
6. _____	12. _____
6. _____	12. _____

II. Ouça os seguintes diálogos e complete as partes que faltam.

Diálogo I.

- Desculpe, _____ dizer-me onde fica o Museu do Azulejo?
- Olhe, _____ sempre ____ frente _____ esta rua e _____ na primeira ___ direita. Depois, _____ por essa rua _____ ver uma igreja do _____ esquerdo. O Museu do Azulejo _____ mesmo _____ lado da igreja.
- Obrigadíssimo.
- De nada.

Diálogo 2.

- Olá, Paula. Então, _____ da festa ____ anos do Pedro?
- _____. Porque é que não _____?
- Não _____ porque o meu pai também _____ anos e _____ de almoçar com toda a família. A minha mãe _____ um almoço na casa de praia.
- Quantos anos é que o teu pai _____?
- _____.
- Olha, ____-lhe os meus _____ atrasados.

Unidade 10

A. Falar sobre acontecimentos passados

1- Leia a carta que a Maria escreveu à amiga Marta.

Lisboa, 20 de Agosto de 2008

Querida Marta,

Cá estou novamente em Lisboa. É verdade! As férias já acabaram e estou outra vez a trabalhar.

Como muitas pessoas ainda estão de férias, o hospital está mais calmo. O problema é que muitos colegas também estão de férias e, por isso, também há menos médicos.

Este ano o António quis passar uma semana na Escócia em Junho e fomos os dois sozinhos. Acreditas?! Os miúdos não puderam ir connosco, porque tiveram que se preparar para os exames finais. Durante essa semana ficaram com os avós. Desde que eles nasceram, esta foi a primeira vez que eu e o António não os levámos connosco. Foi como uma segunda lua-de-mel.

A Escócia é linda! Tive muitas saudades dos meus filhos, mas tenho que admitir que foi uma semana fantástica.

Nas outras três semanas fomos, como é habitual, para a nossa casa em Tróia. É claro que o Francisco e a Rita também foram. Eles adoram estar lá. Têm os seus amigos e passam o dia na praia e na piscina. Este ano houve uma festa no clube com muita gente conhecida. Normalmente não tenho muita paciência para essas coisas, mas este ano decidimos ir. Foi giro!

Sabes quem encontrámos na praia? O teu irmão e a tua cunhada. O António viu-os na esplanada da praia e fomos ter com eles. Gostei imenso de os ver. Soube por eles que tu este ano foste de férias para o Brasil. Tens uma profissão em que andas sempre a viajar e nem nas férias consegues ficar por cá muito tempo! Depois, tens de me contar tudo.

Em Setembro espero-te, como de costume, para uns dias em Santarém. Vais às vindimas, não vais? Nós vamos e com certeza que nos vamos encontrar todos. Gosto sempre de ver os meus pais e o resto da minha família.

Bom, vou terminar aqui. Vemo-nos em Setembro.

Até lá, muitos beijinhos da tua amiga

Maria e do resto da família.

2- Responda às perguntas sobre a carta da Maria.

1. Qual é a profissão da Maria ?

   _____

2. Qual acha que pode ser a profissão da Marta?

   _____

3. A Maria vai encontrar a Marta? Onde?

_____

3- A Marta recebeu a carta da amiga e leu-a ao irmão.
Ouça-a e depois faça três perguntas aos seus colegas
sobre o conteúdo da carta.

1. _____ ?

_____

2. _____ ?

_____

3. _____ ?

_____

4- Onde é que você passou as últimas férias?   Falar: as minhas
Fale um pouco sobre o que fez nas férias.   últimas férias

5- Coloque estas formas verbais no local   Gramática: verbos **saber, haver,**
correcto.   **querer e poder (P.P.S.)**

1.
soube   pudeste   houve   quis   souberam   puderam
soube   quis   pude   soubeste   pôde   quisemos
quiseram   soubemos   pudemos   quiseste

	saber	**haver**	**querer**	**poder**
eu				
tu				
você, ela, ele				
nós				
vocês, elas, eles				

2. Leia as formas de cada verbo.

3. Agora, responda às perguntas <u>só com o</u>   Gramática: responder oralmente
<u>verbo.</u>   a perguntas com os verbos

a. Soubeste o que aconteceu?

b. Puderam sair mais cedo ontem?

C. Ontem houve algum filme interessante na televisão?

d. Você quis sair com ela no domingo passado?

e. Já souberam o preço da viagem?

f. Hoje vocês quiseram ir almoçar fora?

g. Pudeste usar a piscina do hotel?

h. Houve algum problema com o carro?

i. Ele quis ir contigo nas férias?

j. Você soube o caminho para Tróia?

6. **Aqui está uma lista de actividades. Assinale as que já fez e as que ainda não fez. Faça perguntas aos colegas sobre cada uma.**

Falar: actividade no passado

Exemplo:

Já escreveste um livro?

Já		Não / Ainda não	
	Escrever um livro		
	Plantar uma árvore		
	Fazer um cruzeiro		
	Aprender uma língua		
	Ver um filme português		
	Subir uma montanha a pé		
	Provar uma comida exótica		
	Fazer um discurso		
	Preparar uma festa para mais de 10 pessoas		
	Ler um livro português		
	Ir a outro continente		
	Ter um animal doméstico		
	Fazer algum desporto radical		
	Fazer mergulho		
	Ganhar um prémio		
	Tomar banho na praia à noite		

B. Momentos marcantes na vida

1- **Olhe para estas fotografias da Maria e ouça com atenção o que ela diz sobre a sua vida.**

Com um ano

A minha Primeira Comunhão

Na escola com os colegas

Fim do curso

O meu casamento

A minha filha

Nasci em Lisboa em 1955 e comecei a andar com 1 ano. Aos 6 anos fui para um colégio privado e aos 8 anos fiz a Primeira Comunhão.

Aos 15 anos mudei para uma escola secundária pública e conheci muitos colegas novos. Decidi estudar Medicina e aos 18 anos entrei para a Universidade. Estudei muito e terminei o curso com 26 anos. Na Universidade conheci o António. Namorámos durante quatro anos e casámos em 1982.

Somos os dois médicos num hospital de Lisboa e moramos num apartamento perto do centro da cidade.

Em 1983 nasceu a nossa primeira filha.

2- Compreendeu o que a Maria disse?

Ouça novamente e depois escreva o que aconteceu em cada momento da vida dela.

Compreensão or[a]

Em 1955	
Com 1 ano	
Aos 6 anos	
Aos 8 anos	
Aos 15 anos	
Aos 18 anos	
Aos 26 anos	
Em 1982	
Em 1983	

3-

Fala

1. Na vida de uma pessoa há momentos que são essenciais. Assinale os que considera mais importantes. Acrescente outros se necessário.

O primeiro dia de escola	A entrada na Universidade
Começar a ler	A entrada na vida profissional
O dia da Primeira Comunhão	O casamento
O primeiro amor	O nascimento de um filho

2. Quais os momentos que na sua vida foram mais marcantes para si?

4- Siga o exemplo e repita a pergunta, utilizando os pronomes: *me, te, o, a, nos, vos, os, as.*
Tente fazer o exercício oralmente.

Gramática: pronomes pessoais complemento direct[o]

Exemplo:

> Viste o **António**?
> ou
> Viste-**o** ?

1. Compraste **os dicionários**?
2. Disseste **o preço** ao cliente?
3. Você leva **as crianças** consigo?
4. Trouxe **a minha carteira**?
5. Já souberam **o endereço dela**?

6. Já fizeste **as malas**?
7. Leu **este jornal**?
8. Já viu **as fotografias das férias**?
9. Já mandaste **a carta**?
10. Já pôs **o carro** na garagem?

5. Agora responda às perguntas com o _verbo_ e o _pronome pessoal de complemento directo_ adequado.

Gramática: verbos no (P.P.S.)
+ **Pronome Pessoal**

Exemplo:

> - Deste **os presentes** às crianças?
> - Dei-**os.**

1. - Visitou o Museu Gulbenkian?
   - _____

2. - Leva-me a casa?
   - _____

3. - Limpaste o teu quarto?
   - _____

4. - Mostrou as fotografias?
   - _____

5. - Apanhou as laranjas todas?
   - _____

6. - Viu-nos na praia de Tróia?
   - _____

7. - Encontrou os seus amigos?
   - _____

8. - Trouxeste os livros que te pedi?
   - _____

9. - Entregou a carta à minha amiga?
   - _____

10. - Tomou o comprimido?
    - _____

11. - Leste a carta da Marta?
    - _____

12. - Passaste as férias todas na Escócia?
    - _____

13. - Teve o exame na semana passada?
    - _____

14. - Deu a carta à Marta?
    - _____

6- O Paulo mora em Guimarães, no Norte de Portugal, e durante as férias de Verão vai passar uma semana em Lisboa com uma amiga. Eles fizeram estes planos para essa semana:

Gramática: usar verbos no (P.P.S.)

✔ Ir ao Museu de Arte Antiga;
✔ Ir ao Museu do Azulejo;
✔ Visitar o Parque das Nações e o Oceanário;
✔ Ir de comboio a Sintra e visitar o Palácio Real;
✔ Passar um dia na Costa da Caparica;
✔ Ir a Belém e visitar o Mosteiro dos Jerónimos;
✔ Ver uma exposição no Centro Cultural de Belém;
✔ Ir uma noite aos bares das Docas;
✔ Passear por Alfama e subir ao Castelo de S. Jorge;
✔ Fazer uma visita ao Jardim Zoológico;
✔ Ir ao Centro Comercial Colombo.

Agora estamos em Setembro e as aulas vão recomeçar. O que é que ele fez na semana que passou em Lisboa?

7-

1- Teste a sua memória. Lembra-se...

Falar: acontecimento
no passado

- Quando é que foi à praia pela última vez?
- Qual foi o último filme que viu?
- O que é que comeu ontem ao jantar?
- Qual foi o último livro que leu?
- Quando é que viu o/a seu/sua melhor amigo/a pela última vez?
- A que horas é que se deitou ontem?
- A quem é que escreveu um postal ou uma carta pela última vez?
- Qual foi a última vez que recebeu amigos em casa?
- Onde passou o último fim-de-semana?
- O que comeu ontem ao pequeno-almoço?
- Quando é que andou de avião pela primeira vez?
- Onde conheceu o/a seu/sua melhor amigo/a?

2- **Lembra-se de alguns acontecimentos importantes a nível mundial ou nacional e que foram notícia durante o ano passado? Tente lembrar-se de alguns.**

8- Verão no estrangeiro

Ler informação e
comprender

Os portugueses não viajam muito para outros países da União Europeia nas suas férias.
Isto em comparação, por exemplo, com os luxemburgueses ou os belgas, que são os que, segundo estas estatísticas, mais viajam.

Pessoas que viajam para outros países da União Europeia (%)

Luxemburgo	91
Bélgica	74
Alemanha	73
Holanda	67
Áustria	65
Dinamarca	59
Irlanda	58
Suíça	53
Grã-Bretanha	52
Finlândia	32
Itália	25
França	22
Portugal	19
Espanha	10
Grécia	8

Fala

1. **O seu país encontra-se nesta lista? Concorda com a percentagem apresentada sobre ele? Faça um comentário sobre o seu resultado.**

2. Se o seu país não se encontra nesta lista, diga qual pensa que é a percentagem e justifique-a.

3. E você? Qual é a sua posição dentro deste quadro? Costuma viajar para fora do seu país? Que países é que já visitou?

4. Quais foram as suas melhores férias? Para onde foi e o que fez? O que é que elas tiveram de especial?

Expressões

Tive muitas saudades.	Bom, vou terminar aqui.
... como é habitual.	Foi giro!
... como de costume.	É claro que...
Vais, não vais?	

C. Fonética

Em português a letra <u>o</u> pode ter diferentes sons.
Ouça as palavras e repita-as.

moda	dormimos	Agosto
roda	nado	toda
nórdica	moderno	novo
soma	cozinha	ovo
dorme	podemos	mosca

APÊNDICE GRAMATICAL

 Pretérito perfeito simples-verbos irregulares

	saber	haver	poder	querer
eu	soube		pude	quis
tu	soubeste		pudeste	quiseste
você/ela/ele	soube	houve	pôde	quis
nós	soubemos		pudemos	quisemos
vocês/elas/eles	souberam		puderam	quiseram

 Pronomes pessoais de complemento directo

eu	**me**
tu	**te**
você/ela/ele	**o, a**
nós	**nos**
vocês	**vos**
vocês/elas/eles	**os, as**

Exemplos:

Ontem comprei um livro e ofereci-**o** à minha irmã.

Hoje perdi o autocarro, mas um amigo levou-**me** para a escola no carro dele.

Anteontem vi a Joana, mas ontem não **a** vi.*

*****Nota:** Os pronomes de complemento directo, tal como os de complemento indirecto e reflexos, ficam antes do verbo depois de:

- **interrogativos**
- **algum; nenhum; pouco; todo; tudo; nada; alguém; ninguém;**
- **já; ainda; também; só; não; nunca; que; onde...**

Unidade
11

A. Falar das características profissionais

1-

> Jornalista precisa-se
> M / F
>
> Semanário precisa de jornalista com experiência de
> trabalho na imprensa escrita.
> Resposta com *curriculum vitae* para o
> nº 2345 deste jornal.

A Teresa é uma jovem que respondeu a um anúncio para jornalista e chamaram-na para uma entrevista.

1. Sem olhar para o texto, ouça a entrevista com atenção.

2. Depois, ponha as partes da entrevista na ordem correcta.

A - Já fez alguma reportagem de carácter internacional?
- Não, porque o jornal onde trabalho não se interessa por reportagens desse tipo. Mas viajei por vários países e o meu trabalho de final de curso foi uma reportagem sobre um tema social: a desigualdade a nível profissional entre homens e mulheres. Tive que fazer muito trabalho de investigação e muitas entrevistas. Gostei imenso dessa experiência e acho que o vosso jornal e a vossa revista têm mais este tipo de reportagens.

B - Bom dia.
- Bom dia. Faça o favor de se sentar.
- Com licença.
- Sou o Fernando Reis e sou o chefe de redacção deste jornal. Como está?
- Bem, obrigada. Sou a Teresa Cruz.

C - Bom, Teresa. Se calhar ainda vamos trabalhar juntos. Até ao fim-de-semana nós dizemos-lhe alguma coisa.
- Fico à espera. Então, muito bom dia e obrigada.
- Bom dia, Teresa.

D - Ora, tenho aqui a sua carta e o seu currículo. Diz aqui que fez o curso de Comunicação Social.

- Sim, fi-lo na Universidade de Coimbra e terminei-o há dois anos, com a média de 15. Agora ando a fazer um curso de pós-graduação.

- Muito bem. A nível de línguas estrangeiras, domina perfeitamente o inglês, o alemão e o francês, não é verdade?

- Sim. Os meus avós, da parte da minha mãe, são franceses e por isso sempre passei férias com eles e eles não falam português. Além disso, fiz todo o ensino secundário no Colégio Alemão.

E - Sim, de facto é verdade. Diga-me uma coisa: não tem qualquer problema em viajar e fazer trabalhos noutros países?

- Não, pelo contrário. Isso é uma coisa que adorava fazer.

F - Muito bem. A nível da sua experiência profissional, trabalhou num jornal diário muito conhecido durante dois anos. Ainda trabalha para ele?

- Sim, ainda continuo lá.

- Porque é que quer mudar de jornal?

- Bem, porque preferia trabalhar num semanário. Gostava de poder escrever reportagens sobre temas interessantes e importantes para a opinião pública, em vez de pequenos artigos sobre notícias do dia a dia.

	Parte (Letra)
1º	
2º	
3º	
4º	
5º	
6º	

Ordenar partes do diálogo

3. Agora ouça novamente a entrevista e leia-a com um colega. Ouvir e ler

2- Qual é a ideia principal de cada parte da entrevista? Coloque a letra da parte da entrevista adequada a cada ideia.

Compreensão do diálogo
ideia principal de cada par

❏ Habilitações e conhecimento de línguas.

❏ Experiência profissional e razões para mudar de jornal.

❏ Despedida.

❏ Interesses profissionais.

❏ Gosto de viajar.

❏ Apresentação.

3- Este é o currículo da Teresa. Preencha as partes que faltam com a informação do diálogo.

Compreensão do diálog
completar currículo

Curriculum vitae

Nome: _____ Maria Sanches Boubot _____

_____: Rua Teles da Silva, nº 5, 8º Esq.
1100 024-Lisboa

_____: 214443333

Estado _____: Solteira

Data de _____: 23 de Maio de 1982.

Habilitações Académicas: -Colégio _____ até ao 12º Ano.
-Curso de _____ _____, na
_____ de Coimbra com _____ final de 15
valores.
-5 anos no Instituto Britânico.

Línguas: Bom domínio de _____, _____ e _____ .

Experiência _____: _____ no jornal Correio Diário _____ 2005.

4- Siga a ordem do currículo da Teresa e fale do seu próprio currículo. Comece assim:

Expressão oral: apresentar
perfil profissional e académi

- Chamo-me .... e moro em ....

5- Simulação

Falar: simular uma
entrevista

Imagine que quer mudar de emprego. Simule uma entrevista com um dos directores da nova empresa. Siga o exemplo da entrevista da Teresa. A entrevista depende da sua profissão, mas não se esqueça de referir:

- Porque quer mudar de empresa;
- Experiência profissional relevante;
- Interesses profissionais;
- Disponibilidade para começar a trabalhar.

6- Procure no diálogo <u>sinónimos</u> das seguintes palavras ou expressões:

Vocabulário: procurar
sinónimos

Sinónimos

acabei	
assuntos	
muitos	
em relação a	
gostava imenso	
possivelmente	
género	

7- Qual o perfil profissional adequado?

Falar; vocabulário: perfil
profissional adequado.

Aqui tem algumas profissões. Que características é que acha que cada uma exige?

Pode usar algumas características da lista que está depois do quadro. Justifique as suas opiniões.

Guia turística	Jogador de futebol	Educadora de infância	Médico	Político

Características para um perfil profissional:

sensível	boa apresentação
paciente	boa preparação física
sociável	boa capacidade de argumentação
comunicativo	interesse pelos outros
lutador	boa voz
extrovertido	boa dicção
desinibido	preparação técnica
corajoso	capacidade de persuasão
sério	divertido
decidido	sangue frio

8- **A Teresa fez um trabalho sobre a desigualdade a nível profissional entre homens e mulheres.**

> Falar: defender opiniões

Acha que há profissões próprias para homens e profissões para mulheres?
Se acha que sim, faça uma lista e justifique a sua opinião. Depois compare a sua lista com as dos seus colegas.

Profissões para homens	Profissões para mulheres

> Responder a questionários

9-

1. Concorda com estas afirmações ?

		SIM	NÃO
a.	Os homens devem partilhar os trabalhos de casa.	❑	❑
b.	As mulheres devem ter um emprego, mesmo quando têm filhos.	❑	❑
c.	Só as mulheres que trabalham têm independência económica.	❑	❑

d. A sociedade ainda vê a mulher essencialmente como mãe e dona de casa. ❏ ❏

e. Quando a mulher trabalha fora de casa, há mais problemas para o casamento e para os filhos. ❏ ❏

e. Um homem pode educar os filhos tão bem como a mulher. ❏ ❏

2. Discuta com os seus colegas estas afirmações e justifique a sua opinião.

> Falar: comparar opiniões e justificá-las

10- Substitua as partes sublinhadas pelos pronomes *o*, *a*, *os*, *as* e faça as alterações necessárias.

> Gramática: **pronomes pessoais de complemento directo**

1. Fiz <u>o curso</u> com média de 15.
   _____.

2. Ontem enviámos <u>as cartas</u>.
   _____.

3. Discutiram <u>o assunto</u>?
   _____.

4. Preferimos <u>este jornal</u>.
   _____.

5. Eles dão <u>a entrevista</u> às 10:00.
   _____.

6. Põe <u>a carta</u> no correio, por favor.
   _____.

7. Ela anda a fazer <u>o trabalho final</u>.
   _____.

8. Trazem <u>os vossos passaportes</u>?
   _____.

9. Eles costumam pagar <u>o salário</u> hoje?
   _____.

10. Ela faz <u>a reportagem</u> sobre esse tema.
    _____.

B. Inquéritos de rua

1- Os portugueses são grandes utilizadores de telemóveis.   Compreensão or Alguns até os usam demasiado e, às vezes, as contas são difíceis de pagar.

Ouça o inquérito que este jovem fez a uma senhora na rua.

- Bom dia, minha senhora. Andamos a fazer um inquérito sobre o uso dos telemóveis. Importa-se de nos responder a algumas perguntas?
- Não, não me importo.
- Acha que os telemóveis são úteis?
- Sim, acho que sim.
- Acha que os telemóveis têm uma maior utilidade a nível profissional ou a nível privado?
- Acho que são importantes em ambos.
- A senhora tem telemóvel?
- Tenho.
- Quando quer comunicar com os seus familiares e com os amigos costuma utilizar mais o telemóvel ou o telefone normal?
- Acho que utilizo mais o telemóvel.
- O telemóvel ajuda-a na sua profissão?
- Humm... Não, não muito.
- Já esteve em alguma situação em que o telemóvel foi imprescindível?
- Por acaso já estive. Há dois ou três meses tive um problema com o meu carro na auto-estrada para o Porto. Telefonei para o serviço de assistência em viagem da minha seguradora e rapidamente tive ajuda.
- Uma última pergunta. Acha que é mais caro telefonar do telemóvel?
- Pelo contrário. Acho que o telefone normal fica mais caro que o telemóvel.
- Muito obrigado pelo seu tempo e um bom dia para a senhora.
- Bom dia.

2- Agora leia o inquérito com um colega ou com o seu professor. Lei

3- No seu país os telemóveis também são muito populares? Refira as Fala **vantagens** e **desvantagens** do seu uso.

4- Simulação

Agora imagine que trabalha numa empresa que faz estudos de mercado. A sua empresa tem de fazer um estudo sobre:

- os transportes que as pessoas utilizam mais quando vão trabalhar e porque os usam;
- a opinião que têm sobre os meios de transporte existentes;
- o que esperam de diferente no futuro.

Você é o responsável pelo inquérito. Que perguntas é que vai fazer? Seleccione as perguntas que considera importantes fazer num inquérito sobre esta situação. Depois faça o inquérito a um colega.

Inquérito

1.

2.

3.

4.

5.

6.

7.

8.

Expressões

Faça o favor de se sentar.	Sim, de facto é verdade.
Ando a fazer um curso.	..., não é verdade?
Não, pelo contrário.	Importa-se de responder...?
Bem, porque...	Não, não me importo.

C. Fonética

A letra e tem diferentes sons.
Ouça os sons e as palavras e repita-as.

é	comer	restaurante
Sé	cedo	secretária
festa	dedo	levamos
testa	caneta	trouxe
meta	mesa	come
levo	fazemos	telefone

Escreva mais três palavras para cada som da letra e e leia-as em voz alta.

APÊNDICE
GRAMATICAL

1 ## *andar a* + Infinitivo

Usa-se para acções que começaram no passado e que continuam ou se repetem até ao momento presente e que certamente vão continuar.

Exemplos:

Ando a ler um livro muito interessante.
(Comecei a ler o livro no passado e ainda estou a ler.)
Ela **anda a tirar** um curso de fotografia.
(Já começou o curso e ainda o está a fazer.)

2 ## *costumar* + Infinitivo

Usa-se para acções habituais.

Exemplos:

Costumamos jogar ténis aos sábados.
(Habitualmente jogamos ténis aos sábados.)
Costumas ler esta revista?
(Lês habitualmente esta revista?)

3 ## Partícula apassivante: *se*

Usa-se quando o sujeito da acção é indefinido ou irrelevante. O verbo depende do complemento directo, isto é, conjuga-se na 3ª pessoa do singular ou plural.

Exemplos:

Em Portugal comem-se muitos doces.
Bebeu-se todo o chá.
Vendem-se apartamentos.
Fazem-se algumas sandes e compra-se um bolo.

4 ## Pronomes relativos: *que; onde*

Exemplos:

Estou a ler o livro **que** comprei ontem.
O homem **que** está sentado ali é o pai do Paulo.
O quarto **onde** tu dormiste é muito melhor do que o meu.

5 ## Advérbios terminados em *-mente*

Formam-se a partir dos adjectivos.

Exemplos:

(calmo – calma**mente**)
Ele entrou **calmamente** em casa.
(frequente – frequente**mente**)
Nós vamos **frequentemente** a esse restaurante.

APÊNDICE
GRAMATICAL

 Pronomes pessoais de complemento directo (excepções)

Casos especiais dos pronomes: *o, a, os, as*

1 • Estes pronomes têm as formas **–no; -na; -nos; -nas** quando estão depois de verbos que terminam em:

- *m*
- *ão*
- *õe*

Exemplos:

Eles receberam a carta e leram *a carta.*
Eles receberam a carta e leram-*na.*

Os pais compraram os presentes e dão **os presentes** aos filhos.
Os pais compram os presentes e dão-*nos* aos filhos.

Ela traz a mala e põe **a mala** em cima da mesa.
Ela traz a mala e põe-*na* em cima da mesa.

2 • Estes pronomes têm as formas **–lo; -la; -los; -las** quando estão depois de verbos que terminam em :

- *r*
- *s*
- *z*

Nota: Estas letras (**r, s, z**) caem.

Exemplos:

Adoro este bolo. Vou comer **o bolo** já.
Adoro este bolo. Vou comê-**lo** já.

A sala está sujíssima, mas nós limpámos **a sala** ontem.
A sala está sujíssima, mas nós limpámo-**la** ontem.

Ele compra sempre o jornal e traz **o jornal** para o escritório.
Ele compra sempre o jornal e trá-**lo** para o escritório.

3 • Excepções a estas regras:

- verbo **querer** na forma *quer*
  quere-o; quere-a; quere-os; quere-as
  Ele **quer** a salada.
  Ele **quere-a.**

- verbo **ter** na forma **tens**
  tem-lo; tem-la; tem-los; tem-las
  Tu **tens** a minha caneta.
  Tu **tem-la.**

Unidade 12

A. Falar de acções habituais no passado

1.

A família Silva foi viver para Berlim há quatro anos. Antes, a famíla Silva vivia na Ericeira, uma vila situada na costa de Portugal. O Sr. Silva e a mulher trabalham num hotel: ele é cozinheiro e ela trabalha na lavandaria. A filha, a Clara, tem 14 anos e adora escrever. Há algum tempo escreveu uma carta para uma revista portuguesa sobre o tema: "Os problemas de adaptação dos emigrantes".

No ponto 2 encontra uma parte da sua carta.

1. **Antes de ler a carta, leia estas expressões sobre a família Silva. Acha que são sobre a sua vida em Portugal ou na Alemanha?**

Exercício de preparação para texto

	Em Portugal	Na Alemanha
• vida fora de casa	❏	❏
• muitos amigos	❏	❏
• andar de metro	❏	❏
• ir à praia	❏	❏
• muito frio	❏	❏
• dar uma volta depois do jantar	❏	❏
• passear pelos jardins	❏	❏
• problemas com a língua	❏	❏
• ir ao café à noite	❏	❏

2.

Leitura e compreensão

Quando vivíamos na Ericeira, a nossa vida era muito diferente. Lá, eu tinha muitos amigos e, quando o tempo estava bom, íamos à praia depois das aulas. Íamos a pé para todo o lado e almoçávamos sempre em casa. À noite, depois do jantar, dávamos uma volta pela vila, os meus pais iam ao café e eu brincava com os meus amigos. Tínhamos uma vida mais fora de casa do que aqui em Berlim.

Aqui normalmente está muito frio e fica noite mais cedo. Além disso, aqui não temos muitos amigos. Por isso, à noite ficamos em casa e vemos televisão. A língua foi o maior problema. Quando chegámos, não sabíamos alemão e foi muito difícil aprender esta língua tão diferente do português. Sentimos muito a falta da praia, mas, às vezes, vamos passear até aos lagos ou pelos jardins de Berlim que são muito bonitos.

Aqui não temos carro e não se pode ir a pé para todo o lado numa cidade tão grande como Berlim. O metro é o nosso transporte habitual. Ao almoço não podemos vir a casa. Por isso, os meus pais almoçam no hotel e eu como na escola. A comida aqui é muito diferente da de Portugal, mas em casa os meus pais preparam refeições tipicamente portuguesas.

Temos muitas saudades dos nossos amigos e da nossa família, mas nas férias voltamos sempre à Ericeira e podemos rever todos.

3.

a. Que outros problemas é que acha que a família Silva sentiu com a mudança de país?

b. Imagine que a família Silva se mudava para o seu país, concretamente para a sua cidade, vila ou aldeia. Quais eram as dificuldades de adaptação que você pensa que eles sentiam? O que é que acha que eles tinham de fazer para uma melhor adaptação?

c. Existem muitos imigrantes no seu país ou na sua cidade? De onde? Quais são os que acha que sentem maiores dificuldades? Porquê?

d. Já viveu alguma experiência semelhante? Já alguma vez sentiu dificuldades de adaptação a uma outra cultura?

2-

Gramática: o **Imperfeito**

1. O *Pretérito Imperfeito* usa-se para falar de acções habituais no passado. Conjugue oralmente os verbos que estão dentro do quadro com as terminações do Imperfeito.

	Pretérito imperfeito	
	-ar	*-er* *-ir*
eu	-ava	-ia
tu	-avas	-ias
você/ela/ele	-ava	-ia
nós	-ávamos	-íamos
vocês/elas/eles	-avam	-iam

comer   ir   andar

preferir   usar   fazer

passar   ler   ouvir

2. Faça uma frase com cada verbo sobre acções habituais no passado.

Gramática: fazer frases no **Imperfeito**

Antigamente / Dantes

a. _____ .
b. _____ .
c. _____ .
d. _____ .
e. _____ .
f. _____ .
g. _____ .
h. _____ .
i. _____ .

3. Complete o quadro dos verbos irregulares no *Imperfeito*.

Gramática: **verbos irregulares** no Imperfeito

	Verbos irregulares			
	ser	*ter*	*vir*	*pôr*
eu	*era*			
tu		*tinhas*		
você				
ela/ele			*vinha*	
nós				*púnhamos*
vocês				
elas/eles				

4. Este é o João quando era criança e agora que tem 20 anos.

Gramática: usar verbos no **Imperfeito**

Alex 99

criança ———————————————————→ jovem

Complete com os verbos no *Imperfeito*.

◆ Quando era criança…

_____ com os pais.

_____ óculos.

_____ num colégio de padres.

_____ um aluno razoável.

_____ férias com a família.

_____ muito tempo para brincar.

_____ nos arredores da cidade.

_____ a pé para a escola.

_____ futebol com os colegas.

_____ livros aos quadradinhos.

◆ Agora…

vive sozinho.

usa lentes de contacto.

anda na Universidade.

é um aluno excelente.

passa férias com os amigos.

tem o tempo muito ocupado.

vive perto da Universidade.

vai de carro para a Universidade.

joga ténis com um amigo.

lê o jornal.

3- E você? Como era e o que fazia quando era criança? | Expressão oral |
Use os verbos no *Imperfeito*.

4- | Compreensão oral |

1. Ouça o que estas duas pessoas faziam quando eram crianças.

2. Depois, oiça uma segunda vez e complete os espaços com os verbos no *Imperfeito*.

A Cláudia

B Celeste

Cláudia	Celeste
Quando eu _____ criança, _____ com os meus pais numa vila perto da cidade do Porto. Os meus pais _____ uma quinta com muitos animais. Eu _____ de ajudar o meu pai a tratar dos animais. Quando _____ da escola, _____ com os meus pais e com os meus irmãos e _____ toda a tarde na quinta. Às vezes, _____ de bicicleta e _____ à bola. Quando o tempo _____ bom, _____ fora de casa. _____ bons tempos!	Quando eu _____ na escola primária, _____ com os meus pais no centro de Lisboa. _____ para o colégio de carrinha e _____ lá todo o dia. Só _____ para casa às 6 horas da tarde. Então, _____ os trabalhos de casa, _____ um duche, _____ e _____ para a cama, porque no dia seguinte _____ de me levantar muito cedo.

3. Faça perguntas sobre cada uma das jovens para as | Fazer perguntas |
A seguintes respostas.

1. _____?
   Vivia numa vila perto do Porto.

2. _____?
   Tinham muitos animais.

3. _____?
   Não. Ela tinha irmãos.

4. _____?
   Quando o tempo estava bom.

B

1. _____ ?

   Não, andava na escola todo o dia.

2. _____ ?

   Ia de carrinha.

3. _____ ?

   Quando chegava a casa ela fazia os trabalhos de casa.

4. _____ ?

   Porque no dia seguinte tinha de se levantar muito cedo.

5- As cidades modernas são muito diferentes das cidades de | Expressão oral |
há 60 ou 70 anos atrás.
Com certeza que a modernidade trouxe _vantagens_ e _desvantagens_.

A

B

1. Refira algumas <u>vantagens</u> e <u>desvantagens</u> de ambas.
As palavras que estão dentro do quadro podem ajudá-lo/a em relação à vida numa cidade há 70 anos, mas existem muitos outros aspectos que pode referir. Não se esqueça de usar o *Imperfeito* para falar das características da cidade de há 70 anos.

barato	poluição	seguro	trânsito
barulho	puro	tempo	família

2. Você prefere viver numa cidade moderna e desenvolvida ou numa aldeia ou vila? Porquê?

3. Lembra-se de como era a sua cidade ou vila quando você era criança?
Refira alguns aspectos que agora são completamente diferentes.

B. As férias

Compreensão oral

1. Agora a Joana vive em Berlim com os pais, mas continua a vir à Ericeira para passar as férias. Ouça o que ela faz nas férias.

Eu **passo** sempre as férias na Ericeira. De manhã, **saio** de casa com os meus pais e **vamos** para a praia. Lá, **encontramos** os nossos amigos e alguns familiares.
Enquanto os meus pais **conversam** com todas as pessoas que **conhecem,** eu **dou** uma volta pela praia com os meus amigos e **tomamos** alguns banhos. A água **é** fria, mas **é** muito divertido mergulhar com aquelas ondas.
Pelas 13.30 **voltamos** para casa e **almoçamos** quase sempre peixe grelhado com batatas cozidas e salada. Como a Ericeira **é** uma vila de pescadores, o peixe **é** sempre fresquíssimo.
Depois do almoço, **vamos** ao café e mais uma vez **encontramos** os amigos na esplanada. De seguida, **vamos** normalmente a casa dos meus avós e às 5 horas eu **vou** a casa de uma amiga que **tem** uma piscina e **divertimo-nos** imenso.

1. Agora leia o texto, mas substitua as formas verbais do *Presente do Indicativo* pelo *Imperfeito*. Comece assim:

Ler e substituir
tempo dos verbos

"Antigamente eu **passava** sempre as férias na Ericeira. ..."

2. E você? Lembra-se onde passava as suas férias quando era criança? O que é que fazia? Com quem ia?

Expressão oral

2- Algumas palavras causam problemas, porque estão muito próximas de outras que noutras línguas têm sentidos diferentes.
Faça uma frase exemplificativa do significado de cada uma das palavras que se seguem.
Pode usar o dicionário.

Vocabulário: usar o
dicionário e fazer frases

1. oficina / escritório

_____.
_____.

2. esquisito / raro

_____.
_____.

3. tenda / loja

_____.
_____.

4. avariado / roto

_____.
_____.

5. pasta / massa

_____.
_____.

6. vestido / robe

_____.
_____.

7. cabelo / pêlo

_____.
_____.

8. realizar / perceber

_____.
_____.

9. montar / subir

_____.
_____.

3- **Sabe os nomes destes animais?**

1.

Vocabulário: animais

_____ _____ _____ _____ _____ _____

_____ _____ _____ _____ _____ _____

2. Refira um ou mais adjectivos ou características adequadas para cada um destes animais. A lista seguinte pode ajudá-lo. Pode usar o dicionário.

Vocabulário: características de animais

meigo	com personalidade	colorido
repelente	feroz	obediente
bonito	herbívoro	lento
nojento	imponente	rápido
fofo	inteligente	roedor

Expressão oral: gostar e detestar

3. De quais é que gosta mais?

- Adoro ....

- Gosto de ....

- Detesto ....

- Não gosto muito de ....

4. Quando era criança tinha algum animal de estimação? Se tinha, fale um pouco sobre ele ou eles.

Expressão oral: o meu animal de estimação

Expressões

Sentimos muito a falta da praia.	Detesto…
Já alguma vez…?	Não gosto muito de…
Adoro…	Quando eu era criança…

C. Fonética

A letra **x** tem muitos sons diferentes.
Ouça as seguintes palavras e repita-as.

ks	z	ch	s
tá*x*i	e*x*acto	e*x*celente	má*x*imo
ane*x*o	ê*x*ito	te*x*to	au*x*ílio
se*x*o	e*x*ame	se*x*to	pró*x*imo
fi*x*o	e*x*ercício	pei*x*e	trou*x*e

APÊNDICE GRAMATICAL

 ## Pretérito Imperfeito do Indicativo

Usa-se para acções habituais no passado.

	Verbos regulares		
	-ar	**-er**	**-ir**
eu	*-ava*	*-ia*	*-ia*
tu	*-avas*	*-ias*	*-ias*
você/ela/ele	*-ava*	*-ia*	*-ia*
nós	*-ávamos*	*-íamos*	*-íamos*
vocês/elas/eles	*-avam*	*-iam*	*-iam*

	Verbos irregulares			
	ser	**ter**	**vir**	**pôr**
eu	era	tinha	vinha	punha
tu	eras	tinhas	vinhas	punhas
você/ela/ele	era	tinha	vinha	punha
nós	éramos	tínhamos	vínhamos	púnhamos
vocês/elas/eles	eram	tinham	vinham	punham

Exemplos:

Antigamente, as pessoas **andavam** mais a pé.
No ano passado, eu **comia** todos os dias um iogurte ao pequeno-almoço.
Quando tu eras criança, **deitavas**-te sempre muito cedo.

UNIDADE DE REVISÃO 4

I. Ponha as frases na <u>negativa</u> e substitua as partes sublinhadas pelo pronome adequado.

Exemplo:

> - Escreve <u>à tua amiga</u>!
> - Não **lhe** escrevas!

1. - Atende <u>o telefone</u>!

    - _____ !

2. - Envie o <u>seu currículo</u>!

    - _____ !

3. - Põe <u>a carta</u> no correio!

    - _____ !

4. - Procure <u>o seu nome</u> nessa lista!

    - _____ !

5. - Telefone <u>para a directora</u>!

    - _____ !

6. - Traz <u>o cão</u> para aqui, por favor.

    - _____ !

7. - Segue <u>estas instruções</u>!

    - _____ !

8. - Preencha <u>esse formulário</u>, por favor.

    - _____ !

9. - Diz os resultados <u>aos candidatos</u>!

    - _____ !

10. - Usa <u>o telemóvel</u>!

    - _____ !

2. Responda às perguntas como no exemplo. Use o verbo <u>sempre na 1ª pessoa</u>.

Exemplo:

> - Foi ao cinema ontem?
> - ***Fui, fui.***

1. - Fizeste a entrevista?

   - _____ .

2. - Soubeste os resultados?

   - _____ .

3. - Deu a comida ao seu peixe?

   - _____ .

4. - Vai responder ao anúncio?

   - _____ .

5. - Pôs o jornal em cima da mesa?

   - _____ .

6. - Leu os anúncios da secção de Emprego?

   - _____ .

7. - Veio à reunião?

   - _____ .

8. - Viste o filme de ontem?

   - _____ .

3. Faça perguntas para as seguintes respostas. Não se esqueça de utilizar as <u>preposições</u>.

Exemplo:

> - Eles vieram ***pela auto-estrada.***
> - ***Por onde*** é que eles vieram?

1. - Todos falaram ***de ti***.

   - _____ ?

2. - Esta carta é ***para a minha amiga.***

   - _____ ?

3. - Ela ligou ***para o escritório.***

   - _____ ?

4. - Nós fomos ao cinema ***com os nossos colegas.***

   - _____ ?

5   - Eles mostraram o anúncio *à Daniela.*

-_____ ?

6   - Ontem li este livro *até à página 97.*

-_____ ?

4. Adivinhe o que é.

- Um animal doméstico que tem um lindo pêlo e umas unhas afiadas.
  G __ __ __

- A pessoa que vai viver para outro país.
  E __ __ __ __ __ __ __ __

- Um animal muito lento e que tem a casa às costas.
  __ __ __ T __ __ __ __ __

- O papel que tem todas as informações sobre a nossa Formação e experiência profissional.
  __ __ R __ __ __ __ __ __

- O conjunto de questões que servem, por exemplo, para fazer um estudo de mercado.
  I __ __ __ __ __ __ __ __

5. Ponha as frases em ordem.

a)   **Despimo**-nos, **vestimos** os nossos fatos de ginástica e durante uma hora **fazemos** aeróbica.
b)   Ao fim da tarde, **voltamos** para casa, mas à noite **encontramo**-nos com os nossos amigos para uma noite divertida.
c)   Depois, **saio** de casa e **vou** para o ginásio.
d)   Quando **acabamos** a aula, **almoçamos** juntas no restaurante do ginásio.
e)   Por isso, **levanto**-me um pouco mais tarde e **tomo** o pequeno-almoço calmamente.
f)   À tarde, **vamos** ao cinema, **passeamos** pelo centro comercial e **vemos** as montras.
g)   Lá, **encontro**-me sempre com a minha amiga Paula.
h)   Ao sábado não **trabalho.**

6. Agora reescreva o texto começando com:

-   *No sábado passado* _____

_____

_____

_____

_____

_____

_____

_____

_____

_____

7. Volte a escrevê-lo começando com:

- *Antigamente*_____

_____

_____

_____

_____

_____

_____

_____

_____

_____

_____

8. Junte as frases, utilizando as formas comparativas: tão...como, tanto...como, mais...do que.

Exemplo:

> O cão é obediente. O gato é menos obediente.
> O cão é *mais* obediente *do que* o gato.

1. O salário de um médico é bom. Mas o salário de uma recepcionista não é.

_____

2. Eles trabalham oito horas por dia. Eu também.

_____

3. Esta rua é muito barulhenta. Aquela também é.

    _____

4. A minha vizinha de cima fala muito. O porteiro também fala muito.

    _____

5. O filme que eu vi ontem era grande. O filme que nós vimos no sábado passado não era.

    _____

9. Junte cada adjectivo da coluna da esquerda com o equivalente à direita.

1-	fofo	a) repelente
2-	imprescindível	b) absolutamente necessário
3-	nojento	c) desinibido
4-	peludo	d) aquele que luta para conseguir o que quer
5-	extrovertido	e) diz-se de algo que consideramos muito querido
6-	lutador	f) que tem muito pêlo

10. Qual é o contrário?

indeciso	≠	
chato	≠	
paciente	≠	
perigoso	≠	
rápido	≠	
feio	≠	

TEXTOS GRAVADOS PARA EXERCÍCIOS

UNIDADE 1

A.

3.

> Ouça e complete o diálogo.

A- *Boa <u>tarde</u>! <u>Sou</u> o João. Como <u>se</u> chama?*

B- *<u>Chamo</u>-me Pierre.*

A- *De <u>onde</u> é você, Pierre?*

B- *<u>Sou</u> de Paris. E você?*

A- *Eu <u>sou</u> <u>de</u> Lisboa.*

8.

> Ouça as perguntas e responda.

1. *Como é que ela se chama?*

2. *Qual é a profissão dela?*

3. *Onde é que ela mora?*

4. *De onde é a Marta?*

5. *Ela é francesa?*

11.

3.

> Escreva os números que vai ouvir.

um, quinze, dois, três, quatro, dezasseis, dezassete, cinco, seis, sete, nove, dez, onze, dezanove, doze, treze, zero, catorze, dezoito, oito, vinte

B.

3.

1.

> Complete os seguintes textos.

A. *Olá! <u>Chamo-me</u> Miguel. <u>Sou</u> português e <u>moro</u> <u>em</u> Sintra. Sou médico <u>em</u> Lisboa e gosto de jogar ténis. A minha mulher <u>é</u> italiana, mas <u>fala</u> português <u>muito</u> bem.*

B. *Bom dia! <u>Sou</u> a nova professora de português e <u>chamo-me</u> Rita. Eu e a minha família <u>somos</u> do Porto. Os meus alunos <u>são</u> muito simpáticos e são todos <u>estrangeiros</u>.*

6.

> Assinale a frase que ouviu.

1. *a) Ela é de Portugal.*

2. *b) Como te chamas?*

3. *b) Mora em Lisboa.*

4. *b) Sou da Alemanha.*

5. *a) Como está?*

6. *b) Vocês falam português?*

UNIDADE 2

A.

5.

2.

> Ouça e escreva os números.

quarenta e cinco, setenta e sete, trinta e dois, dezassete, vinte e dois, cinquenta e nove, noventa e quatro, catorze, oitenta e sete, doze, três, sessenta e oito, cento e dez, cento e trinta, cento e trinta e dois

B.
6.

> O Pedro encontra uma amiga na rua. Complete o diálogo.

A- *Olá, Mariana. Por aqui ?*

B- *Olá, Pedro! Como estás?*

A- *Bem, obrigado. Agora moras aqui, nesta rua?*

B- *Sim. Moro naquele prédio ali.*

A- *Qual prédio?*

B- *Aquele ali, ao lado da pastelaria.*

A- *Ah, sim. O teu apartamento é grande?*

B- *Sim, é muito grande: tem quatro quartos, uma sala e uma varanda bonita. Também tenho uma cozinha e duas casas de banho.*

UNIDADE 4

A.
4.

> Escreva os diálogos na ordem correcta. Depois, ouça-os com atenção.

a. - *Olá , Vanda. Queres ir ao cinema esta noite?*
   - *Esta noite? Esta noite não posso. Vou jantar com os meus pais.*
   - *Que pena! E amanhã?*
   - *Amanhã à noite estou livre. Podemos ir.*
   - *Óptimo!*

b. - *Tens algum plano para sábado?*
   - *Não, porquê?*
   - *Não queres ir a Sintra?*

- *Sim, é uma excelente ideia. A que horas vamos?*
- *De manhã. Assim, podemos subir a serra a pé e visitamos o Palácio da Pena.*
- *Está combinado.*

UNIDADE 8

B.
3.

No fim-de-semana passado

No sábado passado, o Joseph decidiu ir novamente a Sintra. Convenceu o amigo e foram os dois de comboio até à vila e visitaram o Palácio de Sintra. A seguir, entraram num café e pediram duas queijadas. O Joseph bebeu um galão escuro e o amigo preferiu uma bica. Depois, subiram serra a pé até ao palácio da Pena.
O Joseph adorou a paisagem. Ele já lá foi mais do que uma vez, mas gosta sempre deste passeio.
Desceram a serra, mas no caminho encontraram um pequeno restaurante e decidiram comer qualquer coisa. Chegaram a casa cansados, mas descansaram um pouco e combinaram encontrar-se outra vez às 20:30. Foram jantar com alguns amigos e passaram uma noite como muitos jovens portugueses gostam: comeram, beberam, conversaram, dançaram e, é claro, voltaram tardíssimo para casa. No domingo, o Joseph dormiu até à hora do almoço.

UNIDADE 9

A.
11.
2.

André: Está?
Rita: Está, André?
André: Sim. Quem fala?
Rita: Sou a Rita, a amiga da mãe.
André: Ah! Olá!
Rita: Então, muitos parabéns!
André: Obrigado.
Rita: Quantos anos fazes?

André: Nove.

Rita: Já? O tempo passa tão _depressa_! Olha, um grande beijinho e desejo-te um dia muito _feliz_, está bem?

André: _Obrigado_.

Rita: Então, _adeus_ e dá um _beijinho_ à tua mãe.

André: Adeus. Com _licença_.

3.

- Olá, André! Fala a tia Guida. Estou a telefonar para te dar os parabéns. O tio também te manda um beijinho de parabéns. Amanhã à noite telefono outra vez. Quero saber se gostaste da tua festa. Desejo-te um resto de dia muito feliz.

UNIDADE DE REVISÃO 3

9.

> Ouça cada palavra com atenção e marque a que ouviu.
> De seguida, ouça cada palavra e repita-a.

vêm	só
doze	céu
treze	vêem
vens	traz
costas	faca
viemos	Sé

11. Ouça os seguintes diálogos e complete as partes que faltam.

Diálogo 1

- Desculpe, _podia_ dizer-me onde fica o Museu do Azulejo?
- Olhe, _siga_ sempre _em_ frente _por_ esta rua e _vire_ na primeira _à_ direita. Depois, _desça_ por essa rua _até_ ver uma igreja do _lado_ esquerdo. O Museu do Azulejo _fica_ mesmo _ao_ lado da igreja.

- Obrigadíssimo.
- De nada.

Diálogo 2

- Olá, Paula. Então, _gostaste_ da festa _de_ anos do Pedro?
- _Adorei_. Porque é que não _foste_?
- Não _fui_ porque o meu pai também _fez_ anos e _tive_ de almoçar com toda a família. A minha mãe _deu_ um almoço na casa de praia.
- Quantos anos é que o teu pai _fez_?
- _68_.
- Olha, _dá-lhe_ os meus _parabéns_ atrasados.

UNIDADE II
A.
1.

B.

- Bom dia.
- Bom dia. Faça o favor de se sentar.
- Com licença.
- Sou o Fernando Reis e sou o chefe de redacção deste jornal. Como está?
- Bem, obrigada. Sou a Teresa Cruz.

D.

- Ora, tenho aqui a sua carta e o seu currículo. Diz aqui que fez o curso de Comunicação Social.
- Sim, fi-lo na Universidade de Coimbra e terminei-o há dois anos, com a média de 15. Agora ando a fazer um curso de pós--graduação.
- Muito bem. A nível de línguas estrangeiras, domina perfeitamente o inglês, o alemão e o francês, não é verdade?
- Sim. Os meus avós, da parte da minha mãe, são franceses e por isso sempre passei férias com eles e eles não falam português. Além disso, fiz todo o ensino secundário no Colégio Alemão.

F.

- *Muito bem. A nível da sua experiência profissional, trabalhou num jornal diário muito conhecido durante dois anos. Ainda trabalha para ele?*
- *Sim, ainda continuo lá.*
- *Porque é que quer mudar de jornal?*
- *Bem, porque preferia trabalhar num semanário. Gostava de poder escrever reportagens sobre temas interessantes e importantes para a opinião pública, em vez de pequenos artigos sobre notícias do dia a dia.*

A.

- *Já fez alguma reportagem de carácter internacional?*
- *Não, porque o jornal onde trabalho não se interessa por reportagens desse tipo. Mas viajei por vários países e o meu trabalho de final de curso foi uma reportagem sobre um tema social: a desigualdade a nível profissional entre homens e mulheres. Tive que fazer muito trabalho de investigação e muitas entrevistas. Gostei imenso dessa experiência e acho que o vosso jornal e a vossa revista têm mais este tipo de reportagens.*

E.

- *Sim, de facto é verdade. Diga-me uma coisa: não tem qualquer problema de viajar e de fazer trabalhos noutros países?*
- *Não, pelo contrário. Isso é uma coisa que adorava fazer.*

C.

- *Bom, Teresa. Se calhar ainda vamos trabalhar juntos. Até ao fim-de-semana nós dizemos-lhe alguma coisa.*
- *Fico à espera. Então, muito bom dia e obrigada.*
- *Bom dia, Teresa.*

UNIDADE 12

A.

4.

A- *Quando eu <u>era</u> criança, <u>vivia</u> com os meus pais numa vila perto da cidade do Porto. Os meus pais <u>tinham</u> uma quinta com muitos animais. Eu <u>gostava</u> de ajudar o meu pai a tratar dos animais. Quando <u>vinha</u> da escola, <u>almoçava</u> com os meus pais e com os meus irmãos e <u>brincava</u> toda a tarde na quinta. Às vezes, <u>andava</u> de bicicleta e <u>jogava</u> à bola. Quando o tempo <u>estava</u> bom, <u>jantávamos</u> fora de casa. <u>Eram</u> bons tempos!*

B- *Quando eu <u>andava</u> na escola primária, <u>vivia</u> com os meus pais no centro de Lisboa. <u>Ia</u> para o colégio de carrinha e <u>ficava</u> lá todo o dia. Só <u>voltava</u> para casa às 6 horas da tarde. Então, <u>fazia</u> os trabalhos de casa, <u>tomava</u> um duche, <u>jantava</u> e <u>ia</u> para a cama, porque no dia seguinte <u>tinha</u> de me levantar muito cedo.*

CHAVE DAS UNIDADES DE REVISÃO

UNIDADE DE REVISÃO 1

1.

1. é; sou
2. Moro; é
3. é
4. falam
5. compram
6. Aceitas
7. escreve
8. decidimos; estamos
9. tem; chama-se
10. gosta
11. bebem
12. levanto-me; me deito
13. é; vive
14. parto

2.

1. A Susan é da Inglaterra, mas fala português.
2. Quantos anos tens?
3. Ela deita-se tarde todos os dias.
4. O Sr. Fonseca é português e mora no Brasil.
5. Ao domingo nunca me levanto cedo.
6. A Marianne é alemã e trabalha em Portugal.
7. Como é que se chama a mãe do José?
8. Hoje nós estamos a estudar os verbos regulares.
9. As aulas começam às nove horas.

3.

1. Tens / tem amigos em Portugal?
2. A que horas é que te levantas / se levanta sempre?
3. De onde é / és ?
4. Quanto é?
5. Lembras-te / lembra-se do Raul?
6. Onde fica o hotel, por favor?
7. Quantos anos tens / tem?
8. Onde vives / vive agora?

9. Quem é a Marta?
10. Como é que te chamas / se chama?

4.

1. d.
2. e.
3. f.
4. g.
5. b.
6. h.
7. i.
8. c.
9. j.
10. a.

5.

a) Ele corre. b) Ele está a correr.
a) Eles estudam. b) Eles estão a estudar.
a) Eles comem. b) Eles estão a comer.
a) Eles dançam. b) Eles estão a dançar.
a) Elas conversam / falam b) Elas estão a conversar/ falar.

6.

. São sete horas.
. São oito e quarenta e cinco. / São nove menos um quarto.
. São nove e um quarto. / São nove e quinze.
. São nove e cinquenta. / São dez para as dez.
. São dez e vinte e dois.
. São doze e dez. É meio-dia e dez.
. São dezassete e vinte. / São cinco e vinte.
. São vinte e cinquenta. / São dez para as nove./ São oito e cinquenta.

7.

quinze
trinta e três
cinquenta
cinquenta e seis
trinta

8.

mesa
fogão
pão
sou

UNIDADE DE REVISÃO 2

1.

1. *conheço*
2. *posso*
3. *pode*
4. *Sabes; Sei; consigo*
5. *pode / podia*
6. *conseguimos*
7. *Posso*
8. *conhecemos*
9. *sabe; conseguir*
10. *Conheces*

2.

1. *Esses óculos são meus.*
2. *Este cartão é dele.*
3. *Aquela garrafa de vinho é vossa.*
4. *Esses impressos são seus.*
5. *Essa cadeira é tua.*
6. *Aquele carro é deles.*
7. *Estas revistas são minhas.*

3.

1. *h.*
2. *d.*
3. *b.*
4. *g.*
5. *j.*
6. *i.*
7. *e.*
8. *c.*
9. *f.*
10. *a.*

4.

1. *e)*
2. *i)*
3. *b)*
4. *c.)*
5. *g)*
6. *d)*
7. *f)*
8. *a)*
9. *h)*

5.

1.

a) *Quando / Em que dia é que ele vai à praia com os colegas?*
b) *Aonde é que ele vai no sábado?*
c) *Com quem é que ele vai à praia no sábado?*

2.

a) *Onde é que ele mora?*
b) *Há quanto tempo é que ele mora no Porto?*

3.

a) *Quem é que está a arrumar os livros nas prateleiras?*
b) *O que é que os empregados estão a arrumar?*
c) *Onde é que os empregados estão a arrumar os livros?*

4.

a) *Para onde é que vocês vão todos os dias de bicicleta?*
b) *Quando é que vocês vão para a escola de bicicleta?*
c) *Como é que vocês vão todos os dias para a escola?*

5.

a) *O que é que te dói? / lhe dói?*

6.

a) *Quem é que te / lhe dá sempre um livro?*

b) *O que é que os seus / os teus tios lhe / te dão sempre no Natal?*

6.

...outras maiores?
...outro mais fácil?
...outro melhor?
...outro mais claro?
...outra mais perto?

7.

beber um café
dificílimo
enorme
viver
tenho (frio)
óptimo
péssimo
voltar

8.

fechar
limpar
vir
entrar
trazer
puxar

9.

descansar; o descanso
trabalhar; o trabalho
limpar; limpo
compreender; a compreensão
chover; a chuva
arrumar; arrumado
a gordura; gordo
a diferença; diferente
cozinhar; a cozinha

10.

a) *uma sandes*

b) *os óculos*

c) *uma música*

d) *pesca*

e) *o avião*

f) *a porta*

g) *o chapéu-de-chuva*

UNIDADE DE REVISÃO 3

1.

1. *Que bom!* **2.** *Desculpe,* **3.** *De nada.* **4.** *Com licença.* **5.** *parabéns!* **6.** *Não faz mal.* **7.** *boa viagem!* **8.** *vamos embora* **9.** *Que pena!* **10.** *as melhoras.*

2.

1. - *Esqueci-me.*

2. - *Dissemos-lhes.*

3. - *Disse-lhe.*

4. - *Lembrámo-nos.*

5. - *Faço-te.*

6. - *Trouxe-te.*

7. - *Telefonei-lhe.*

8. - *Demos-lhe.*

3.

1. *Na segunda-feira passada fui ao médico, mas ele só me atendeu às 19 horas.*

2. *Nas próximas férias vou a Paris e vou visitar a Eurodisney.*

3. *Ontem o João chegou atrasado porque o carro se avariou.*

4. *Normalmente ele põe a mesa, enquanto eu faço o jantar.*

5. *Quando eu lhe dou um presente, ela diz-me sempre obrigada.*

4.

a) *Vá...*
Abra...
Ponha...
Faça...
Leve...
Passe...
Confirme...
Reserve...

Envie...

Atenda... e anote...

b) *Abri o correio e pus os faxes e o jornal na secretária do Dr.Santos. Depois fiz café e levei café ao Dr. Santos. A seguir passei os relatórios no computador e confirmei a reunião com os clientes. Depois, reservei a passagem de avião e hotel para o Dr. Santos para a viagem a Barcelona. Enviei as facturas aos clientes, atendi os telefonemas e anotei as mensagens.*

5. luvas / mãos
meias / pés
gorro / cabeça
cachecol / pescoço
óculos / olhos
mangas / braços

7.

1. *Os amigos alemães deixaram mensagens.*

2. *Os irmãos dos directores também vieram.*

3. *Façam os exercícios das lições, por favor.*

4. *Os senhores ingleses enganaram-se nas direcções.*

5. *Quando estivemos nesses países, fomos a festas tradicionais muito interessantes.*

6. *Já viram as exposições?*

7. *Gostámos imenso dos dias que passámos convosco.*

8. *Vocês vieram ontem às aulas?*

8.

Ontem o Sr. Saraiva levantou-se e tomou um duche. Depois, preparou o pequeno-almoço. Comeu uma torrada e bebeu uma chávena de chá. Saiu de casa, apanhou o autocarro e foi para o trabalho. Durante a manhã trabalhou no escritório e ao meio-dia foi almoçar ao restaurante. Ao fim da tarde saiu do escritório e foi ao supermercado fazer compras. Chegou a casa cansado. Jantou e depois do jantar sentou-se no sofá da sala. Viu televisão com a mulher e depois foi-se deitar.

9. *vêm; doze; treze; vens; costas; viemos; só; céu; vêem; traz; faca; Sé.*

11.

Diálogo 1.

*podia
siga
em
por
vire
à
desça
até
lado
fica
ao*

Diálogo 2.

*gostaste
de
Adorei
foste
fui
fez
tive
deu
fez
68
dá
parabéns*

UNIDADE DE REVISÃO 4

1.

1. - *Não o atendas!*

2. - *Não o envie!*

3. - *Não a ponhas no correio!*

4. - *Não o procure nessa lista!*

5. - *Não lhe telefone!*

6. - *Não o tragas para aqui, por favor!*

7. - *Não as sigas!*

8. - *Não o preencha por favor!*

9. - *Não lhes digas os resultados!*

10. - *Não o uses!*

2.

1. - *Fiz, fiz.*
2. - *Soube, soube.*
3. - *Dei, dei.*
4. - *Vou, vou.*
5. - *Pus, pus.*
6. - *Li, li.*
7. - *Vim, vim. / Fui, fui.*
8. - *Vi, vi.*

3.

1. - *De quem é que todos falaram?*
2. - *Para quem é esta carta?*
3. - *Para onde é que ela ligou?*
4. - *Com quem é que vocês foram ao cinema?*
5. - *A quem é que eles mostraram o anúncio?*
6. - *Até onde é que leste ontem o livro?*

4.

GATO
EMIGRANTE
TARTARUGA
CURRÍCULO
INQUÉRITO

5.

h); e); c); g); a); d); f); b)

6.

No sábado passado não <u>trabalhei</u>. Por isso, <u>levantei-me</u> um pouco mais tarde e <u>tomei</u> o pequeno-almoço calmamente. Depois, saí de casa e <u>fui</u> para o ginásio. Lá, <u>encontrei-me</u> com a minha amiga Paula. <u>Despimo</u>-nos, <u>vestimos</u> os nossos fatos de ginástica e durante uma hora <u>fizemos</u> aeróbica. Quando <u>acabámos</u> a aula, <u>almoçámos</u> juntas no restaurante do ginásio. À tarde <u>fomos</u> ao cinema, <u>passeámos</u> pelo centro comercial e <u>vimos</u> as montras. Ao fim da tarde, <u>voltámos</u> para casa, mas à noite <u>encontrámo</u>-nos com os nossos amigos para uma noite divertida.

7.

Antigamente não <u>trabalhava</u>. Por isso <u>levantava-me</u> um pouco mais tarde e <u>tomava</u> o pequeno-almoço calmamente. Depois, <u>saía</u> de casa e ia para o ginásio. Lá, <u>encontrava-me</u> com a minha amiga Paula. <u>Despíamo</u>-nos, <u>vestíamos</u> os nossos fatos de ginástica e durante uma hora <u>fazíamos</u> aeróbica. Quando <u>acabávamos</u> a aula, <u>almoçávamos</u> juntas no restaurante do ginásio. À tarde <u>íamos</u> ao cinema, <u>passeávamos</u> pelo centro comercial e <u>víamos</u> as montras. Ao fim da tarde, <u>voltávamos</u> para casa, mas à noite <u>encontrávamo</u>-nos com os nossos amigos para uma noite divertida.

8.

1. - *O salário de um médico é melhor do que o (salário) de uma recepcionista.*
2. - *Eles trabalham tantas horas por dia como eu.*
3. - *Esta rua é tão barulhenta como aquela.*
4. - *A minha vizinha de cima fala tanto como o porteiro.*
5. - *O filme que eu vi ontem era maior do que o (filme) que nós vimos no sábado passado.*

9.

1. *e)*
2. *b)*
3. *a)*
4. *f)*
5. *c)*
6. *d)*

10.

decidido
interessante
impaciente
seguro
lento
bonito

GLOSSÁRIO

PORTUGUÊS	DEUTSCH	ENGLISH	ESPAÑOL	FRANÇAIS
abrir	aufmachen, (er)öffnen	to open	abrir	ouvrir
acabar	aufhören, beenden	to finish	acabar	terminer
acampar	zelten	to camp	acampar	camper
acção (a)	(die) Handlung	action	acción	action
aceitar	annehmen, zulassen	to accept	aceptar	accepter
achar	glauben, finden	to find, to think	pensar	penser, trouver
acontecimento (o)	(das) Ereignis	event	acontecimiento	événement
acordar	aufwachen, wecken	to wake up	despertarse	se réveiller
acreditar	glauben	to believe	creer	croire
activo	aktiv	active	activo	actif
actuar	wirken , handeln	to act	actuar	agir, jouer (théâtre)
açúcar (o)	(der) Zucker	sugar	azúcar	sucre
adaptação (a)	(die) Anpassung	adaptation	adaptación	adaptation
adequado	angemessen	appropriate	adecuado	adéquat
admitir	zulassen	to admit	admitir	admettre
adorar	sehr toll finden, lieben	to love	adorar	adorer
advogado (o)	(der) Rechtsanwalt	lawyer	abogado	avocat
aeróbica	(die) Aerobik	aerobics	aeróbica	aérobic
afiado	scharf	sharp	afilado	aiguisé, taillé
aficionado	(der) Liebhaber, Fan	fan	aficionado	amateur, passionné
afinal	schließlich	after all	al final	enfin
agarrar	greifen, nehmen, festhalten	to catch	agarrar	attraper, saisir
agenda (a)	(der) Taschen-kalender	diary	agenda	agenda
agente (o)	(der) Agent	agent	agente	agent
agir	wirken, eingreifen	to act	actuar	agir
agora	jetzt	now	ahora	maintenant
agradável	angenehm	pleasant	agradable	agréable
agradecer	danken	to thank	agradecer	remercier
agricultor (o)	(der) Landwirt	farmer	agricultor	agriculteur
água (a)	(das) Wasser	water	agua	eau
aguentar	ertragen, aushalten	to stand	aguantar	supporter
ainda	noch	still, yet	todavía	encore
ajuda (a)	(die) Hilfe	help	ayuda	aide
ajudar	helfen	to help	ayudar	aider
alcoólico	alkoholisch	alcoholic	alcohólico	alcoolique, alcoolisé
aldeia (a)	(das) Dorf	village	pueblo	village
alegre	froh	happy	alegre	joyeux
alemão	deutsch, (der) Deutsche	German	alemán	allemand
algo	etwas	something	algo	quelque chose
algodão (o)	(die) Baumwolle	cotton	algodón	coton
alguém	jemand	someone	alguien	quelqu'un
algum/a/ns/as	irgend(ein), einige einer, eine	some	alguno	quelque
ali	dort	there	allí	là-bas

GLOSSÁRIO

PORTUGUÊS	DEUTSCH	ENGLISH	ESPAÑOL	FRANÇAIS
almoçar	mittagessen	to have lunch	comer (mediodía)	déjeuner
almoço (o)	(das) Mittagessen	lunch	comida (mediodía)	déjeuner
alto	gross, hoch	high, tall	alto	haut
alugar	mieten, vermieten	to rent, to hire	alquilar	louer
amanhã	morgen	tomorrow	mañana	demain
ambos	beide	both	ambos	les deux
americano	amerikanisch, (der) Amerikaner	American	americano	américain
amigo (o)	(der) Freund	friend	amigo	ami
amor (o)	(die) Liebe	love	amor	amour
análise (a)	(die) Analyse	analysis	análisis	analyse
andar	gehen, laufen	to walk	andar	marcher
anexo	beiliegend	attached	anexo	annexe
animal (o)	(das) Tier	animal	animal	animal
animar	beleben	to cheer up	animar	animer
aniversário (o)	(der) Geburtstag	birthday, anniversary	cumpleaños	anniversaire
ano (o)	(das) Jahr	year	año	an
anteontem	vorgestern	the day before yesterday	anteayer	avant-hier
antigamente	früher, damals	in past times	antaño	autrefois
antigo	alt	old, former	antiguo	ancien
antipático	unsympathisch	unpleasant	antipático	antipathique
apanhar	nehmen, erwischen	to catch	coger	prendre, attraper
apartamento (o)	(die) Wohnung	flat	piso	appartement
apenas	nur, kaum	only, just	apenas	seulement
apreciar	geniessen	to appreciate	apreciar	apprécier
aprender	lernen	to learn	aprender	apprendre
apresentação (a)	(die) Vorstellung	introduction	presentación	présentation
apresentar-se	sich vorstellen	to introduce	presentarse	se présenter
aproveitar	(aus)nutzen	to profit	aprovechar	profiter
aqui	hier	here	aquí	ici
aquilo	jenes, dieses, das	that	aquello	ça (là-bas)
ar (o)	(die) Luft	air	aire	air
aranha (a)	(die) Spinne	spider	araña	araignée
areia (a)	(der) Sand	sand	arena	sable
arena (a)	(die) Arena	arena	arena	arène
argumentação (a)	(die) Argumentation	argumentation	argumentación	argumentation
argumento (o)	(das) Argument	argument	argumento	argument, scénario
armado	gerüstet, bewaffnet	armed	armado	armé
arquitectura (a)	(die) Architektur	architecture	arquitectura	architecture
arranjar	besorgen, reparieren	to fix, to get	arreglar	réparer, trouver
arranjar-se	sich zurechtmachen	to get ready	arreglarse	se préparer

GLOSSÁRIO

PORTUGUÊS	DEUTSCH	ENGLISH	ESPAÑOL	FRANÇAIS
arredores (os)	(die) Umgebung	surroundings	alrededores	environs
arrogante	arrogant	arrogant	arrogante	arrogant
arroz (o)	(der) Reis	rice	arroz	riz
arrumação (a)	(das) Aufräumen	neatness, tidiness	arreglo	rangement
arrumar	aufräumen	to tidy up	arreglar, ordenar	ranger
arte (a)	(die) Kunst	art	arte	art
artigo	(der) Artikel	article	artículo	article
árvore (a)	(der) Baum	tree	árbol	arbre
aspecto (o)	(das) Aussehen,	look	aspecto	aspect
aspirar	saugen	to suck	aspirar	aspirer
assado	gebraten	roasted	asado	rôti
assim	so	so, thus, like this	así	ainsi
assinalado	bezeichnet, markiert	marked	señalado	signalé
assinar	unterschreiben	to sign	firmar	signer
assinatura (a)	(die) Unterschrift	signature	firma	signature
assistir	zuschauen	to watch, to attend	asistir	assister
assunto	(das) Thema	subject	asunto	thème
até	bis	until	hasta	jusque
atendedor automático	(der) Anruf beantworter	answering machine	contestador automático	répondeur automatique
atender	rangehen (das Telefon)	to answer (the phone)	coger (teléfono)	répondre (téléphone)
atirar	werfen	to throw	lanzar	lancer
atrasado	verzögert	delayed	retrasado	en retard
atravessar	überqueren	to cross	cruzar	traverser
aula (a)	die Unterrichtsstunde	lesson	clase	cours
auscultar	abhorchen, abhören	to auscultate	auscultar	ausculter
autocarro (o)	(der) Bus	bus	autobús	autobus
auto-estrada (a)	(die) Autobahn	highway	autopista	autoroute
auxílio (o)	(das) Hilfsmittel, (die) Hilfe	aid	auxilio	secours, aide
avariado	beschädigt, defekt	damaged	averiado, estropeado	en panne
avariar	defekt sein	to damage	averiarse, estropearse	tomber en panne
avenida (a)	(die) Allee	avenue	avenida	avenue
avião (o)	(das) Flugzeug	plane	avión	avion
avó (a)	(die) Grossmutter	grandmother	abuela	grand-mère
avô (o)	(der) Grossvater	grandfather	abuelo	grand-père
azulejo (o)	(die) Fliese	tile	azulejo	carreau de faïence
bacalhau (o)	(der) Stockfisch	codfish	bacalao	morue
bailado (o)	(das) Ballett	ballet	baile	ballet, danse
bainha (a)	(der) Saum	hem	dobladillo	ourlet
baixo	klein, niedrig	small, short, low	bajo	bas

GLOSSÁRIO

PORTUGUÊS	DEUTSCH	ENGLISH	ESPAÑOL	FRANÇAIS
balão (o)	(der) Luftballon, (die) Blase	balloon	balón	ballon
banco (o)	(die) Bank	bank	banco	banque, banc
banheira (a)	(die) Badewanne	bathtub	bañera	baignoire
bar (o)	(die) Bar	bar	bar	bar
barato	billig	cheap	barato	bon marché
barba (a)	(der) Bart	beard	barba	barbe
bárbaro	barbarisch	barbarous	bárbaro	barbare
barco (o)	(das) Schiff, (das) Boot	boat, ship	barco	bateau
barriga (a)	der Bauch	stomach, belly	barriga, tripa	ventre
barulhento	laut	noisy	ruidoso	bruyant
barulho (o)	(der) Lärm, (der) Krach	noise	ruido	bruit
basquetebol (o)	(das) Basketball	basketball	baloncesto	basket-ball
bastante	ziemlich viel, genug	sufficient, enough	bastante	assez
batatas fritas (as)	(die) Pommes frites	chips, french fried potatoes	patatas fritas	frites, chips
beber	trinken	to drink	beber	boire
bebida (a)	(das) Getränk	drink	bebida	boisson
beijinho (o)	(das) Küsschen	kiss	besito	bisou
beijo (o)	(der) Kuss	kiss	beso	bise
beleza (a)	(die) Schönheit	beauty	belleza	beauté
belga	belgisch, Belgier (-in)	Belgian	belga	belge
bem	gut (adv.)	well	bien	bien
biblioteca (a)	(die) Bibliothek, Bücherei	library	biblioteca	bibliothèque
bica (a)	(der) Kaffee (Espresso)	Expresso (coffee)	café solo	expresso (café)
bicicleta (a)	(das) Fahrrad	bicycle	bicicleta	vélo
bife (o)	(das) Steak	steak	filete	steack
bigode (o)	(der) Schnurrbart	moustache	bigote	moustache
bilhete (o)	(die) Eintritt Skarte, (die) Fahrkarte	ticket	billete	billet
bilhete de identidade (o)	(der) Personalausweis	Identity card	carné de identidad	carte d'identité
biquini (o)	(der) Bikini	bikini	bikini	bikini
blusão (o)	(die) Jacke	jacket	cazadora	blouson
boca (a)	(der) Mund	mouth	boca	bouche
bola (a)	(der) Ball	ball	pelota	balle, ballon
bolo (o)	(der) Kuchen	cake	bollo	gâteau
bom	gut	good	bueno	bon
bombeiro (o)	(der) Feuerwehrmann	fireman	bombero	pompier
boneca (a)	(die) Puppe	doll	muñeca	poupée
boneco (o)	(die) Puppe, (die) Figur	doll	muñeco	(petit) bonhomme
bonito	schön	beautiful	bonito	beau, joli
borracha (a)	(der) Radiergummi	rubber	goma	gomme
botas (as)	(die) Stiefel	boots	botas	bottes
braço (o)	(der) Arm	arm	brazo	bras

GLOSSÁRIO

PORTUGUÊS	DEUTSCH	ENGLISH	ESPAÑOL	FRANÇAIS
brasileiro	brasialianisch, Brasilianer (-in)	Brazilian	brasileño	brésilien
brilhar	glänzen	to shine	brillar	briller
brincar	spielen (mit Spielzeug), Spass machen	to play, to joke	jugar, bromear	jouer
brinquedo (o)	(das) Spielzeug	toy	juguete	jouet
cá	hier	here	aquí	ici
cabeça (a)	(der) Kopf	head	cabeza	tête
cabelo (o)	(das) Haar	hair	cabello, pelo	cheveu
caça (a)	(die) Jagd	hunting	caza	chasse
cachecol (o)	(der) Schal	scarf	bufanda	écharpe
cada	jede/r/s	each, every	cada	chaque
cadeira (a)	(der) Stuhl	chair	silla	chaise
caderno (o)	(das) Heft	notebook	cuaderno	cahier
café (o)	(der) Kaffee	coffee	café	café
cafetaria (a)	(das) Kaffeehaus, (die) Cafeteria	coffee shop	cafetería	cafétéria
cair	fallen	to fall	caer	tomber
caixa (a)	(die) Kasse, (die) Schachtel	box	caja	caisse
calado	still, schweigend	silent, quiet	callado	silencieux (personne)
calças (as)	(die) Hose	trousers	pantalón	pantalon
calças de ganga (as)	(die) Jeans	jeans	vaqueros	jeans
calções (os)	(die) kurze Hose	shorts	calzoncillos, pantalón corto	caleçon, short
calmamente	langsam	quietly	tranquilamente	calmement
calmo	ruhig	calm	tranquilo	calme
calor (o)	(die) Hitze	heat	calor	chaleur
cama (a)	(das) Bett	bed	cama	lit
cambiar	wechseln	to change, to exchange	cambiar	changer
caminhar	gehen, wandern	to walk	caminar	marcher
caminho (o)	(der) Weg	way, path	camino	chemin
camioneta (a)	(der) Bus	bus	(camioneta), autobús	camionette, autocar
camisa (a)	(das) Hemd	shirt	camisa	chemise
camisa de dormir (a)	(das) Nachthemd	nightgown, nightdress	camisón	chemise de nuit
camisola (a)	(der) Pullover	sweater	jersey	pull-over
campismo (o)	(das) Zelten, camping	camping	camping	camping
campo (o)	(das) Land, (das) Feld	field	campo	campagne
candeeiro (o)	(die) Lampe	lamp	lámpara	lampe
candidato (o)	(der) Bewerber	candidate	candidato	candidat
cansado	müde	tired	cansado	fatigué
cão (o)	(der) Hund	dog	perro	chien
capa (a)	(der) Überwurf, (der) Buchumschlag	cape, book cover	capa	couverture (revue)

GLOSSÁRIO

PORTUGUÊS	DEUTSCH	ENGLISH	ESPAÑOL	FRANÇAIS
capaz	fähig	capable, able	capaz	capable
cara (a)	(das) Gesicht	face	cara	visage
carácter (o)	(die) Art, (der) Charakter	character	carácter	caractère
cardiologista (o/a)	(der) Herzspezialist	cardiologist	cardiólogo	cardiologue
careca	kahl(-köpfig)	bald	calvo	chauve
caro	teuer	expensive	caro	cher
carpete (a)	(der) Teppich	carpet	alfombra	tapis
carpinteiro (o)	(der) Schreiner	carpenter	carpintero	menuisier
carrinha (a)	(der) Kleinbus	small lorry	furgoneta	fourgonette
carro (o)	(das) Auto	car	coche	voiture
carta (a)	(der) Brief	letter	carta	lettre
cartão (o)	(die) Karte	card	tarjeta	carte
cartaz (o)	(das) Plakat	placard	cartel	affiche
carteira (a)	(die) Brieftasche	wallet	cartera	portefeuille
casa (a)	(das) Haus	house, home	casa	maison
casa de banho (a)	(das) Badezimmer	bathroom	cuarto de baño, aseos	salle-de-bains, toilettes
casaco (o)	(die) Jacke, (das) Jackett	coat	chaqueta	veste
casado	verheiratet	married	casado	marié
casal (o)	(das) (Ehe)Paar	couple	pareja	couple
casamento (o)	(die) Hochzeit	wedding, marriage	boda	mariage
casar-se	heiraten	to marry	casarse	se marier
cavaleiro (o)	(der) Reiter	rider	jinete	cavalier
cavalo (o)	(das) Pferd	horse	caballo	cheval
cedo	früh	early	temprano	tôt
ceia (a)	Imbiss am späten Abend	supper	cena	souper
central	zentral	central	central	central
centro (o)	(das) Zentrum	centre	centro	centre
centro comercial (o)	(das) Einkaufszentrum	shopping centre, shopping mall	centro comercial	centre commercial
cereais (os)	(das) Getreide, (die) Cerealien	cereals	cereales	céréales
certeza (a)	(die) Sicherheit	certainty	certeza	certitude
certo	richtig	true, right, certain	cierto	certain, exact
cesto de papéis (o)	(der) Papierkorb	wastepaper-basket	papelera	corbeille à papiers
céu (o)	(der) Himmel	sky, heaven	cielo	ciel
chá (o)	(der) Tee	tea	té, infusión	thé, infusion
chamada (a)	(der) Anruf, (der) Aufruf	call	llamada	appel
chamar-se	heißen	to be called	llamarse	s'appeler
chão (o)	(der) Fussboden, Boden	floor	suelo	sol
chateado	verärgert, sauer	annoyed	enfadado	fâché
chato	langweilig, fad	annoying	pesado	pénible
chave (a)	(der) Schlüssel	key	llave	clé
chávena (a)	(die) Tasse	cup	taza	tasse
chegada (a)	(die) Ankunft	arrival	llegada	arrivée

GLOSSÁRIO

PORTUGUÊS	DEUTSCH	ENGLISH	ESPAÑOL	FRANÇAIS
chegar	ankommen	to arrive	llegar	arriver
cheio	voll	full	lleno	plein
cheque (o)	(der) Scheck	cheque	cheque	chèque
chinês	chinesisch, (der) Chinese	Chinese	chino	chinois
chocolate (o)	(die) Schokolade	chocolate	chocolate	chocolat
chover	regnen	to rain	llover	pleuvoir
cidade (a)	(die) Stadt	city	ciudad	ville
cigarro (o)	(die) Zigarette	cigarette	cigarrillo	cigarette
cinema (o)	(das) Kino	cinema	cine	cinéma
cinto (o)	(der) Gürtel	belt	cinturón	ceinture
claro	hell, klar	light, of course	claro	clair, bien sûr
cliente (o/a)	(der) Kunde	client	cliente	client
cobra (a)	(die) Schlange	snake	serpiente	serpent
coelho (o)	(das) Kaninchen	rabbit	conejo	lapin
coisa (a)	(das) Ding, (die) Sache	thing	cosa	chose
colega (a/o)	(der) Kollege	colleague	compañero	collègue
colégio (o)	(die) Privatschule	school	colegio	collège
colher (a)	(der) Löffel	spoon	cuchara	cuillère
colocar	auflegen, aufstellen	to put	colocar	mettre
colorido	farbig, bunt	coloured	colorido	coloré
com	mit	with	con	avec
combinar	sich verabreden	to arrange, to fix a date	quedar	prendre rendez-vous
comboio (o)	(der) Zug	train	tren	train
começar	anfangen	to begin	empezar	commencer
comentário (o)	(der) Kommentar	commentary	comentario	commentaire
comer	essen	to eat	comer	manger
comida (a)	(das) Essen	food	comida	nourriture
cómoda (a)	(die) Kommode	chest of drawers	cómoda	commode
companhia (a)	(die) Gesellschaft, (die) Begleitung	company	compañía	compagnie
comparar	vergleichen	to compare	comparar	comparer
comparável	vergleichbar	comparable	comparable	comparable
completamente	völlig	completely	completamente	complètement
completar	ergänzen	to complete	completar	compléter
completo	ganz, vollständig, komplett	complete	completo	complet
complicado	schwierig, kompliziert	difficult	complicado	compliqué
comprar	kaufen	to buy	comprar	acheter
compras (as)	(die) Einkäufe	shopping	compras	achats, courses
compreender	verstehen	to understand	entender	comprendre
comprimido (o)	(die) Tablette	pill	comprimido	comprimé
computador (o)	(der) Computer	computer	ordenador	ordinateur
comunhão (a)	(die) Kommunion	communion	comunión	communion
comunicativo	redselig, mitteilsam	open	comunicativo	communicatif
concentrar-se	konzentrieren	to concentrate, to focus	concentrarse	se concentrer
concerto (o)	(das) Konzert	concert	concierto	concert

GLOSSÁRIO

PORTUGUÊS	DEUTSCH	ENGLISH	ESPAÑOL	FRANÇAIS
concretamente	konkret	specifically	concretamente	concrètement
conduzir	fahren, lenken, leiten	to drive	conducir	conduire
conferência (a)	(die) Konferenz	conference	conferencia	conférence
confirmar	bestätigen	to confirm	confirmar	confirmer
congresso (o)	(der) Kongress	congress, meeting	congreso	congrès
conhecer	kennen, kennenlernen	to know, to meet	conocer	connaître
conhecimento (o)	(die) Kenntnis, (das) Wissen	knowledge	conocimiento	connaissance
conjunto (o)	(die) Gesamtheit, (die) Gruppe	the whole, band	conjunto	ensemble
conquista (a)	(die) Eroberung	conquest	conquista	conquête
conseguir	schaffen, gelingen	to be able to, to manage	conseguir	réussir, arriver à
conselho (o)	(der) Rat	advise	consejo	conseil
conservar	erhalten, aufbewahren	to keep, to maintain	conservar	conserver
consultar	konsultieren, besuchen (Arzt)	to consult	consultar	consulter
consultório (o)	(die) (Arzt) Praxis	consulting room (MD)	consultorio	cabinet
conta (a)	(die) Rechnung, (das) Konto	bill	cuenta	compte, addition
conta à ordem (a)	(das) Girokonto	current account	cuenta corriente	compte courant
conta a prazo (a)	(das) Sparkonto, (das) Festgeldkonto	fixed deposit account	cuenta a plazo	compte à terme
contar	(er)zählen	to tell, to count	contar	compter
continente (o)	(der) Kontinent	continent	continente	continent
continuar	fortsetzen, fortfahren	to go on	seguir	continuer
contra	gegen	against	contra	contre
convencer	überzeugen	to convince	convencer	convaincre
conversa (a)	(das) Gespräch, (die) Unterhaltung	conversation, talk	conversación	conversation
conversar	sich unterhalten	to talk	charlar	bavarder
convidar	einladen	to invite	invitar	inviter
convite (o)	(die) Einladung	invitation	invitación	invitation
convívio (o)	(die) Geselligkeit	social intercourse	convivencia	convivialité
copo (o)	(das) Glas	glass	vaso	verre
copo de água (o)	(das) Glas Wasser	glass of water	vaso de agua	verre d'eau
cor (a)	(die) Farbe	colour	color	couleur
coração (o)	(das) Herz	heart	corazón	cœur
coragem (a)	(der) Mut	courage	valor, coraje	courage
corajoso	mutig	courageous	valiente	courageux
corpo (o)	(der) Körper	body	cuerpo	corps
correcto	richtig	right	correcto	correct
corredor (o)	(der) Flur	corridor	pasillo	couloir
correio (o)	(die) Post, (das) Postamt	post, post-office	correo	courrier

GLOSSÁRIO

PORTUGUÊS	DEUTSCH	ENGLISH	ESPAÑOL	FRANÇAIS
Correios (os)	(das) Postamt, (die) Post	post-office	Correos	Poste
correr	laufen, rennen	to run	correr	courir
cortar	schneiden, abbiegen	to cut	cortar	couper
costa (a)	(die) Küste	coast	costa	côte
costas (as)	(der) Rücken	back	espalda	dos
costumar	gewöhnlich etwas tun	to have the habit of	soler	avoir l'habitude
cotovelo (o)	(der) Ellbogen	elbow	codo	coude
cozido	gekocht	cooked	cocido	cuit / pot-au--feu
cozinha (a)	(die) Küche	kitchen	cocina	cuisine
cozinhar	kochen	to cook	cocinar	cuisiner
cozinheiro (o)	(der) Koch	cook	cocinero	cuisinier
crédito (o)	(der) Kredit	credit	crédito	crédit
criança (a)	(das) Kind	child	niño	enfant
criticar	kritisieren	to criticize	criticar	critiquer
cruzamento (o)	(die) Kreuzung	intersection (of two roads)	cruce	croisement
cruzeiro (o)	(die) Kreuzfahrt (-schiff)	cruise	crucero	croisière
culpa (a)	(die) Schuld	guilt	culpa	faute
cultura (a)	(die) Kultur	culture	cultura	culture
cunhado (o)	(der) Schwager	brother-in-law	cuñado	beau-frère
currículo (o)	(der) Lebenslauf	curriculum	curriculum vitae	curriculum vitae
curso (o)	(das) Studium, (der) Kurs	course	curso	cours
curto	kurz	short	corto	court
dantes	damals, früher	formerly	antaño	autrefois
dar	geben	to give	dar	donner
decidido	energisch, entschieden	determined, decided	decidido	décidé
decidir	entscheiden	to decide	decidir	décider
decorar	dekorieren, auswendig lernen	to decorate, to learn by heart	decorar, memorizar	décorer
dedo (o)	(der) Finger	finger	dedo	doigt
degrau (o)	(die) Stufe	step	escalón	marche
deixar	lassen	to let, to leave	dejar	laisser, quitter
dela	ihr	her	de ella	à elle
demasiado	zu viel	too much	demasiado	trop
dente (o)	(der) Zahn	tooth	diente	dent
dentista (o/a)	(der) Zahnarzt	dentist	dentista	dentista
depender	abhängen	to depend on or upon	depender	dépendre
depois	danach	after	después	après
depositar	deponieren, einreichen	to deposit	depositar	déposer
depressa	schnell	quickly	deprisa	vite
dermatologista (o/a)	(der) Hautarzt	dermatologist	dermatólogo	dermatologue
desarrumado	durcheinander, unaufgeräumt	untidy	desordenado	dérangé

GLOSSÁRIO

PORTUGUÊS	DEUTSCH	ENGLISH	ESPAÑOL	FRANÇAIS
descansar	sich ausruhen	to relax	descansar	se reposer
descapotável	(das) Kabrio	convertible	descapotable	décapotable
descer	hinuntergehen	to go down	bajar	descendre
descobridor (o)	(der) Entdecker	discoverer	descubridor	découvreur
descobrir	entdecken	to discover	descubrir	découvrir
descrição (a)	(die) Beschreibung	description	descripción	description
desde	seit	since	desde	depuis
desejar	wünschen	to want, to wish	desear	désirer, souhaiter
desenvolver	entwickeln	to develop	desarollar	développer
desenvolvido	entwickelt	developed	desarollado	développé
desigualdade (a)	(die) Ungleichheit	difference	desigualdad	inégalité
deslocação (a)	(die) Reise, (die) Ortsveränderung)	displacement	desplazamiento	déplacement
despedida (a)	(der) Abschied	farewell	despedida	adieux
desportivo	sportlich	sportive	deportista	sportif
desporto (o)	(der) Sport	sport	deporte	sport
desvantagem (a)	(der) Nachteil	disadvantage	desventaja	désavantage
dever	sollen, müssen	must/to have to	deber	devoir
dia (o)	(der) Tag	day	día	jour, journée
diário	täglich	daily	diario	quotidien
dicção (a)	(die) Sprechweise, (die) Aussprache	diction	dicción	diction
dicionário (o)	(das) Wörterbuch	dictionary	diccionario	dictionnaire
diferente	verschieden	different	diferente	différent
difícil	schwer, schwierig	difficult	difícil	difficile
dinheiro (o)	(das) Geld	money	dinero	argent
director (o)	(der) Direktor	director	director	directeur
dirigente (o)	(der) Leiter	leader	dirigente	dirigeant
disco (o)	(die) Platte	disc, record	disco	disque
discoteca (a)	(die) Diskothek	disco	discoteca	discothèque
discriminação (a)	(die) Unterscheidung, (die) Diskriminierung	discrimination	discriminación	discrimination
discurso (o)	(die) Rede	speach	discurso	discours
disponibilidade (a)	(die) Verfügbarkeit	availability	disponibilidad	disponibilité
distrair	zerstreuen, unterhalten	to distract, to amuse	distraer	distraire
ditado (o)	(das) Diktat, (das) Sprichwort	dictation, proverb	dictado	dictée
divertido	lustig, unterhaltsam	funny	divertido	amusant
divertir-se	sich unterhalten, vergnügen, sich amüsieren	to amuse	divertirse	s'amuser
dividir	teilen, aufteilen	to divide	dividir	diviser
divorciado	geschieden	divorced	divorciado	divorcé
dizer	sagen	to say, to tell	decir	dire
doca (a)	(das) Dock	dock	dársena	bassin, le quais
doce	süss	sweet	dulce	sucré, doux
doença (a)	(die) Krankheit	illness, disease	enfermedad	maladie

GLOSSÁRIO

PORTUGUÊS	DEUTSCH	ENGLISH	ESPAÑOL	FRANÇAIS
doer	weh tun, schmerzen	to ache, to hurt, to be painful	doler	faire mal
doméstico	Haus..., häuslich	domestic	doméstico	domestique
dominar	beherrschen	to dominate	dominar	dominer
dona de casa (a)	(die) Hausfrau	housewife	ama de casa	maîtresse de maison
dormir	schlafen	to sleep	dormir	dormir
dose (a)	(die) Portion	portion	dosis	dose
dossier (o)	(der) Ordner, (die) Akte	file	carpeta	dossier, classeur
duche (o)	(die) Dusche	shower	ducha	douche
durante	während	during, for	durante	pendant
economia (a)	(die) Wirtschaft	economy	economía	économie
económico	wirtschaftlich, sparsam, billig	economical, saving	económico	économique
economista (a/o)	(der) Wirtschafts--wissenschaftler	economist	economista	économiste
educadora de infância (a)	(die) Kindergärtnerin	infant school teacher	puericultora	puéricultrice, maîtress
educar	erziehen	to bring up, to educate	educar	éduquer
ela	sie	she	ella	elle
ele	er	he	él	il
eléctrico (o)	(die) Strassenbahn	tram	tranvía	tramway
electrocardiograma (o)	(das) Elektro--kardiogramm	electro-cardiogram	electrocardiogra-ma	électrocardio-gramme
elegância (a)	(die) Eleganz	elegance	elegancia	élégance
elemento (o)	(das) Element	element	elemento	élément
emagrecer	abmagern, abnehmen	to lose weight	adelgazar	maigrir
emigrante (o)	(der) Auswanderer	emigrant	emigrante	émigrant
empregado (o)	(der) Angestellte	employee	empleado	employé
empregado de mesa (o)	(der) Kellner	waiter	camarero	garçon de café
emprego (o)	(die) Arbeit, (die) Arbeitsstene	job	empleo	emploi
empresa (a)	(der) Betrieb, (der) Firma	company	empresa	entreprise
emprestar	ausleihen	to lend, to loan	prestar	prêter
empurrar	drücken, stossen	to push	empujar	pousser
encaracolado	lockig	curly	rizado	bouclé
encher (-se)	(aus) füllen	to fill, (to get full)	llenar(se)	(se) remplir
encomenda (a)	(der) Auftrag, (die) Bestellung	order, parcel	encargo	commande
encomendar	bestellen	to order	encargar	commander
encontrar-se	sich treffen	to meet someone	encontrarse	se rencontrer, se retrouver
endereço (o)	(die) Anschrift, (die) Adresse	address	dirección	adresse
enfermeiro (o)	(der) Krankenpfleger	nurse	enfermero	infirmier
enganar	betrügen	to deceive, to trick	engañar	tromper

GLOSSÁRIO

PORTUGUÊS	DEUTSCH	ENGLISH	ESPAÑOL	FRANÇAIS
engenheiro (o)	(der) Ingenieur	engineer	ingeniero	ingénieur
engordar	dick werden, zunehmen	to fatten	engordar	grossir
enorme	riesig	huge	enorme	énorme
enquanto	während, solange	while	mientras	pendant que, alors que
então	dann, nun, also	so, then	entonces	alors
entre	zwischen	between, among	entre	entre
entregar	abgeben, (ab)liefern	to deliver	entregar	livrer, rendre
entretanto	indessen, unterdessen	meanwhile	entretanto	entre-temps
entrevista (a)	(das) Interview	meeting, interview	entrevista	entrevue
envelope (o)	(der) Umschlag	envelope	sobre	enveloppe
enviar	senden, schicken	to send	enviar	envoyer
época (a)	(die) Epoche, (die) Saison	season	época, temporada	époque
errado	falsch	wrong	erróneo	faux
erro (o)	(der) Fehler	mistake	error	erreur
escadas (as)	(die) Treppen	stairs	escaleras	escaliers
escola (a)	(die) Schule	school	escuela	école
escola secundária (a)	(die) Weiterführende	secondary school	instituto	lycée
escrever	schreiben	to write	escribir	écrire
escritório (o)	(das) Büro	office	oficina	bureau
escuro	dunkel	dark	oscuro	obscur, foncé
escuteiro (o)	(der) Pfadfinder	scout	scout	scout
espanhol	spanisch, (der) Spanier	Spanish	español	espagnol
especial	besonders	special	especial	spécial
espécie (a)	(die) Sorte, (die) Spezie	sort, kind	especie	espèce
espectáculo (o)	(die) Vorstellung	show	espectáculo	spectacle
espelho (o)	(der) Spiegel	mirror	espejo	miroir
esperar (por)	warten auf	to wait for	esperar	attendre
espetar	aufspiessen	to spit	pinchar, clavar	piquer, enfoncer
espírito (o)	(der) Sinn, (der) Geist	spirit	espíritu	esprit
esplanada (a)	(das) Straßencafé	esplanade	terraza	terrasse
esquecer-se de	etwas vergessen	to forget	olvidarse	oublier
esqui (o)	(der) Ski	ski	esquí	ski
esquisito	ausgefallen, komisch, merkwürdig	strange	raro, extraño	étrange, bizarre
essencialmente	wesentlich, hauptsächlich	essentially	esencialmente	essentiel-lement
esta	diese, die hier	this	esta	cette
estação (a)	(der) Bahnhof, (die) Haltestelle	station	estación	gare
estação do ano (a)	(die) Jahreszeit	season	estación del año	saison de l'année
estacionar	parken	to park	aparcar	stationner
estadia (a)	(der) Aufenthalt	stay	estancia	séjour

GLOSSÁRIO

PORTUGUÊS	DEUTSCH	ENGLISH	ESPAÑOL	FRANÇAIS
estádio (o)	(das) Stadium	stadium	estadio	stade
estado civil (o)	(der) Familienstand	civil state	estado civil	état civil
estante (a)	(das) Regal	bookcase	estantería	étagère
estar	sein	to be	estar	être
estatística (a)	(die) Statistik	statistics	estatística	statistique
este	dieser, der hier	this	este	ce
estender	ausbreiten, (aus) strecken, aufhängen	to expand, stretch	tender	étendre
estojo (o)	(das) Etui	set, kit	estuche	étui
estômago (o)	(der) Magen	stomach	estómago	estomac
estreito	eng, schmal	narrow	estrecho	étroit
estudante (a/o)	(der), (die) Schüler(in), (der) Student	student	estudiante	étudiant
estudar	lernen, studieren	to learn, study	estudiar	étudier
estudo (o)	(das) Studium	study	estudio	étude
eu	ich	I	yo	je
exacto	richtig, genau	correct, right	exacto	exact
exame (o)	(die) Prüfung	examination	examen	examen
excelente	ausgezeichnet	excellent	excelente	excellent
exercício (o)	(die) Übung	exercise	ejercicio	exercice
exigir	verlangen	to demand	exigir	exiger
existente	bestehend	existent, existing	existente	existant
êxito (o)	(der) Erfolg	success	éxito	succès
exótico	exotisch	exotic	exótico	exotique
experiência (a)	(die) Erfahrung	experience	experiencia	expérience
experimentar	ausprobieren	to try, to experiment	probar	essayer
explorador	(der) Forscher	explorer	explorador	explorateur
exposição (a)	(die) Ausstellung	exhibition	exposición	exposition
expressão (a)	(der) Ausdruck	expression	expresión	expression
extrovertido	extrovertiert	extroverted, open	extrovertido	extraverti
faca (a)	(das) Messer	knife	cuchillo	couteau
fácil	leicht	easy	fácil	facile
factura (a)	(die) Rechnung	invoice	factura	facture
faculdade (a)	(die) Fähigkeit, (die) Fakultät	faculty; University	facultad	faculté
falador	schwatzhaft	talkative	hablador	bavard
falar	sprechen	to talk, to speak	hablar	parler
falecer	sterben	to die	fallecer	décéder
faltar	fehlen	not to be present	faltar	manquer
família (a)	(die) Familie	family	familia	famille
familiar	familiär, (der) Verwandte	familiar	familiar	familial, familier
famoso	berühmt	famous	famoso	célèbre
fantástico	phantastisch	fantastic	fantástico	fantastique
farmácia (a)	(die) Apotheke	chemist´s	farmacia	pharmacie
fatia (a)	(die) Scheibe, (das) Stück	slice	loncha, rodaja	tranche

GLOSSÁRIO

PORTUGUÊS	DEUTSCH	ENGLISH	ESPAÑOL	FRANÇAIS
fato (o)	(der) Anzug	suit	traje	costume
fato de banho (o)	(der) Badeanzug	swimming suit	bañador	maillot de bain
fazenda (a)	(der) Stoff	cloth	tela	étoffe
fazer	machen	to do, to make	hacer	faire
febre (a)	(das) Fieber	fever	fiebre	fièvre
feira (a)	(der) Markt, (die) Messe	market, fair	feria	foire
feliz	glücklich	happy	feliz	heureux
férias (as)	(die) Ferien, (der) Urlaub	holidays	vacaciones	vacances
feroz	wild	savage	feroz	féroce
festa (a)	(das) Fest, (die) Feier	party	fiesta	fête
festejar	feiern	to celebrate	festejar	fêter
fiambre (o)	(der) Schinken	ham	jamón	jambon
ficar	sich befinden, bleiben, werden	to stay, to remain, to be	quedarse, quedar	rester
figura (a)	(die) Figur	figure, shape, image	figura	figure
filho (o)	(der) Sohn	son	hijo	fils
filme (o)	(der) Film	film	película	film
fim (o)	(das) Ende	end	fin	fin
fim-de-semana (o)	(das) Wochenende	weekend	fin de semana	week-end
final (o)	(das) Ende, (das) Finale	final	final	fin
fixo	fest	fixed, settled	fijo	fixe
fofo	weich	soft	blando, mono	moelleux, mignon
fogão (o)	(der) Küchenherd	stove	cocina (objeto)	cuisinière (objet)
folha (a)	(das) Blatt	leaf	hoja	feuille
folheto (o)	(die) Flugschrift, (das) Prospekt	booklet, leaflet	folleto	dépliant
fome (a)	(der) Hunger	hunger	hambre	faim
fora	draußen	out	fuera	dehors
formação (a)	(die) Ausbildung	training, qualifications	formación	formation
formulário (o)	(das) Formular	form	formulario	formulaire
francês	französich, (der) Franzose	French	francés	français
frango (o)	(das) Hähnchen	chicken	pollo	poulet
franja (a)	(die) Franse	fringe	flequillo	frange
frequentemente	oft	often	a menudo	souvent
fresco	frisch, kühl	fresh	fresco	frais
frigorífico (o)	(der) Kühlschrank	refrigerator	frigorífico, nevera	réfrigérateur
frio (o)	kalt	cold	frío	froid
fruta (a)	(das) Obst	fruit	fruta	fruit
fumar	rauchen	to smoke	fumar	fumer
futebol (o)	(der) Fussball	football	futbol	football
gabardina (a)	(der) Regenmantel	raincoat	gabardina	gabardine
gabinete (o)	(das) Büro	office	despacho	bureau

GLOSSÁRIO

PORTUGUÊS	DEUTSCH	ENGLISH	ESPAÑOL	FRANÇAIS
galão (o)	(der) Milchkaffee	a glass of white coffee	café con leche	café au lait
ganhar	gewinnen	to win	ganar	gagner
garagem (a)	(die) Garage	garage	garaje	garage
garfo (o)	(die) Gabel	fork	tenedor	fourchette
garganta (a)	(der) Hals	throat	garganta	gorge
garrafa (a)	(die) Flasche	bottle	botella	bouteille
gás (o)	(das) Gas	gas	gas	gaz
gastador	(der) Verschwender	waster, expender	gastador	dépensier
gastar	ausgeben, verbrauchen	to spend	gastar	dépenser
gato (o)	(die) Katze	cat	gato	chat
genro (o)	(der) Schwiegersohn	son-in-law	yerno	gendre
gente (a)	(die) Leute	people	(nosotros), gente	on
gentil	höflich	polite	gentil, amable	gentil
geral	allgemein	general	general	général
gesto (o)	(die) Geste	gesture	gesto	geste
ginásio (o)	(die) Turnhalle, (das) Fitnesstudio	gymnasium	gimnasio	gymnase
ginástica (a)	(die) Gymnastik	gymnastics	gimnasia	gymnastique
ginecologista (a/o)	(der) Frauenarzt	gynaecologist	ginecólogo	gynécologue
girar	drehen	to turn, to spin	girar	tourner
giro	toll, schön, nett, lustig	nice, cute, funny	bonito, mono, guay	joli, mignon
gordo	dick	fat	gordo	gros
gordura (a)	(das) Fett	fatness	gordura	graisse
gorro (o)	(die) Mütze	cap	gorro	bonnet
gostar (de)	gern haben	to like	querer, gustar	aimer
grande	gross	big	grande	grand
grátis	Kostenfrei, unentgeltlich, gratis	free, gratis	gratis	gratuit
grelhado	gegrillt	grilled	a la plancha	grillé
grupo (o)	(die) Gruppe	group	grupo	groupe
guardanapo (o)	(die) Serviette	napkin	servilleta	serviette de table
guardar	aufbewahren, behalten	to keep	guardar	garder, ranger
guerra (a)	(der) Krieg	war	guerra	guerre
guia (a/o)	(der/die) Reiseleiter(in)	guide	guía	guide
guiar	fahren, lenken	to drive	guiar, conducir	guider
guitarra (a)	(die) Gitarre	guitar	guitarra	guitare
habilitações (as)	(die) Abschlüße, (die) Qualifikationen	qualifications	aptitudes	aptitudes
habitante (a/o)	(der) Bewohner	inhabitant	habitante	habitant
habitual	gewöhnlich	usual	habitual	habituel
haver	haben (es gibt)	there to be	haber	y avoir
herbívoro	Pflanzenfressend	herbivorous	herbívoro	herbivore
hoje	heute	today	hoy	aujourd'hui
holandês	holländisch, (der) Holländer	Dutch	holandés	holandais

GLOSSÁRIO

PORTUGUÊS	DEUTSCH	ENGLISH	ESPAÑOL	FRANÇAIS
homem (o)	(der) Mann	man	hombre	homme
hora (a)	(die) Uhr, (die) Stunde	hour	hora	heure
horror (o)	(das) Entsetzen	horror, terror	horror	horreur
hospital (o)	(das) Krankenhaus	hospital	hospital	hôpital
hotel (o)	(das) Hotel	hotel	hotel	hôtel
ideia (a)	(die) Idee	idea	idea	idée
igreja (a)	(die) Kirche	church	iglesia	église
igual	gleich	equal	igual	égal
imobilizar	stillegen	to immobilize	inmovilizar	immobiliser
imperial (a)	Pils, (das) Glas Bier	small beer	caña	impérial
imponente	grossartig, eindrucksvoll	majestic	imponente	imposant
importante	wichtig	important	importante	important
importar	importieren	to import	importar	importer
imprescindível	wesentlich	essential	imprescindible	indispensable
impressionado	beeindruckt	impressed	impresionado	impressionné
impresso	gedruckt	printed	impreso	imprimé
incluir	umfassen	to include	incluir	inclure
indeciso	zögernd	hesitant	indeciso	indécis
indicação (a)	(die) Anzeige	indication	indicación	indication
indicar	anzeigen	to indicate	indicar	indiquer
individual	individuell	individual	individual	individuel
indolente	lässig	indolent	indolente	indolent
influência (a)	(der) Einfluß	influence	influencia	influence
inquérito (o)	(die) Untersuchung	survey	encuesta	enquête
inteligente	intelligent	inteligent	inteligente	intelligent
interessante	interessieren	interesting	interesante	intéressant
interessar-se (por)	sich interessieren für	to show interest	estar interesado en	s'intéresser
internacional	international	international	internacional	international
introvertido	introvertiert	introverted, shy	introvertido	introverti
investigação (a)	(die) Forschung, (die) Untersuchung	inquiry, inquest	investigación	recherche
iogurte (o)	(das) Joghurt	yoghurt	yogur	yogourt
irmã (a)	(die) Schwester	sister	hermana	sœur
irmão (o)	(der) Bruder	brother	hermano	frère
isso	das da	that	eso	ça (là)
isto	dieses	this	esto	ça (ici)
italiano	italienisch, (der) Italiener	Italian	italiano	italien
já	schon	now, already	ya	déjà, tout-de-suite
janela (a)	(das) Fenster	window	ventana	fenêtre
jantar	zu Abend essen	to have dinner	cenar	dîner
jantar (o)	das Abendessen	dinner	cena	dîner
jardim (o)	(der) Garten	garden	jardín	jardin
jardineiro (o)	(der) Gärtner	gardener	jardinero	jardinier
joelho (o)	(das) Knie	knee	rodilla	genou
jogador (o)	(der) Spieler	player	jugador	joueur

GLOSSÁRIO

PORTUGUÊS	DEUTSCH	ENGLISH	ESPAÑOL	FRANÇAIS
jogar	spielen	to play	jugar	jouer
jogo (o)	(das) Spiel	play, game	juego, partido	jeu, match
jornal (o)	(die) Zeitung	newspaper	periódico	journal
jovem	jung	young	joven	jeune
junto a	nah, bei	nearby, close to	junto a	à côté de
juntos	zusammen	together	juntos	ensemble
justificar	rechtfertigen, beweisen	to justify	justificar	justifier
justo	gerecht, recht	fair, right	justo	juste
lá	da, dort	there	allí	là-bas
lã (a)	(die) Wolle	wool	lana	laine
lagarto (o)	(die) Eidechse	lizard	lagarto	lézard
lápis (o)	(der) Bleistift	pencil	lápiz	crayon
laranja	(die) Apfelsine, (die) Orange	orange	naranja	orange
largo	breit	wide	ancho	large
largo (o)	(der) Platz	plaza	placeta	placette
lata (a)	(die) Blechdose	tin	lata	canette, boîte de conserve
lava-loiça (o)	(das) Spülbecken	sink	friegaplatos	lave-vaisselle
lavandaria (a)	(die) Reinigung	laundry	lavandería	laverie
lavatório (o)	(das) Waschbecken	wash-bassin	lavabo	lavabo
legumes (os)	(das) Gemüse	vegetables	verduras	légumes
leite (o)	(die) Milch	milk	leche	lait
lembrar-se de	sich erinnern	to remember	acordarse de	se rappeler
lente de contacto (a)	(die) Kontaktlinse	contact lens	lentilla de contacto	lentille de contact
lento	langsam	slow	lento	lent
ler	lesen	to read	leer	lire
letra (a)	(der) Buchstabe	letter	letra	lettre
levantar-se	aufstehen	to get up, to rise	levantarse	se lever
levar	mitnehmen	to take	llevar	emporter, emmener
liberdade (a)	(die) Freiheit	freedom	liberdad	liberté
limão (o)	(die) Zitrone	lemon	limón	citron
limpar	saubermachen	to clean	limpiar	nettoyer
limpeza (a)	(die) Säuberung, (die) Reinigung	cleaning	limpieza	nettoyage
limpo	sauber	clean	limpio	propre
lindo	schön	beautiful	bonito	joli
língua (a)	(die) Sprache	language, tongue	lengua, idioma	langue
linha (a)	(die) Linie, (die) Zeile	line, thread	linea, hilo	ligne, fil
liso	glatt	smooth, flat	liso	lisse, uni
lista (a)	(die) Liste	list	lista	liste
livraria (a)	(die) Buchhandlung	bookshop	librería	librairie
livre	frei	free	libre	libre
livro (o)	(das) Buch	book	libro	livre
local (o)	(der) Ort, (die) Stelle	place, site	local	local, lieu

229

GLOSSÁRIO

PORTUGUÊS	DEUTSCH	ENGLISH	ESPAÑOL	FRANÇAIS
loja (a)	(das) Geschäft	shop	tienda	magasin
longe de	weit von	far	lejos de	loin de
longo	lang	long	largo	long
louro	blond	blond	rubio	blond
lua (a)	(der) Mond	moon	luna	lune
lua-de-mel (a)	(die) Flitterwochen	honeymoon	luna de miel	lune de miel
lutador	(der) Kämpfer	fighter	luchador	lutteur
luvas (as)	(die) Handschuhe	gloves	guantes	gants
luxemburguês	(der) Luxemburger, luxemburgisch	Luxemburger	luxemburgués	luxembour-geois
mãe (a)	(die) Mutter	mother	madre	mère
magro	dünn, mager	thin	delgado	maigre, mince
mais	mehr	more	más	plus
mala (a)	(die) Tasche, (der) Koffer	bag	bolso, maleta	sac, valise
mandar	schicken, befehlen	to send	mandar	envoyer
manga (a)	(der) Ärmel	sleeve	manga	manche
manteiga (a)	(die) Butter	butter	mantequilla	beurre
manter	halten	to keep	mantener	maintenir, entretenir
mão (a)	(die) Hand	hand	mano	main
máquina (a)	(die) Maschine	machine	máquina	machine
máquina de lavar roupa (a)	(die) Waschmaschine	washing-machine	lavadora	machine à laver le linge
máquina fotográfica (a)	(der) Fotoapparat	camera	máquina fotográfica	appareil photo
mar (o)	(das) Meer	sea	mar	mer
marcante	markant	remarkable	marcante	marquant
marinho	Meer..., See…	marine, maritime	marino	marin
marítimo	See...	marine, maritime	marítimo	maritime
mas	aber	but	pero	mais
massa (a)	(der) Teig	dough; pasta	pasta	pâte
matar	töten	to kill	matar	tuer
matemática (a)	(die) Mathematik	mathematiks	matemáticas	mathématiques
mau	schlecht (das) Arzneimittel	bad	malo	mauvais, méchant
medicamento (o)	(die) Arznei	medicine	medicina	médicament
medicina (a)	(die) Medizin	medicine	medicina	médecine
médico (o)	(der) Arzt	doctor	médico	médecin
médio	durchschnittlich	medium	medio	moyen
medir	abmessen	to measure	medir	mesurer
meias (as)	(die) Strümpfe	socks	calcetines	chaussettes
meigo	zärtlich	sweet, tender	cariñoso	doux, tendre
meio (o)	(die) Hälfte	half, middle	medio	milieu
mel (o)	(der) Honig	honey	miel	miel
melhor	besser	better	mejor	meilleur
membro (o)	(das) Mitglied	member	miembro	membre
mensagem (a)	(die) Nachricht	message	mensaje	message

GLOSSÁRIO

PORTUGUÊS	DEUTSCH	ENGLISH	ESPAÑOL	FRANÇAIS
mercado (o)	(der) Markt	market	mercado	marché
mergulhar	tauchen	to dive	bucear	plonger
mergulho (o)	(das) Tauchen	dive	buceo	plongée, plongeon
mês (o)	(der) Monat	month	mes	mois
mesa (a)	(der) Tisch	table	mesa	table
mesa de cabeceira (a)	(der) Nachttisch	bedside table	mesilla de noche	table de nuit
mesmo	gleich, derselbe	just, same	mismo	même
meta (a)	(das) Ziel	goal, aim	meta	but
metro (o)	(der) Meter	meter	metro	métro
meu	mein	my, mine	mi	mon
minha	meine	my, mine	mi	ma
missa (a)	(die) Messe, (der) Gottesdienst	mass	misa	messe
misto	gemischt	mixture, mixed	mixto	mixte
miúdo (o)	(der) kleiner Junge	boy	niño	petit garçon
moda (a)	(die) Mode	fashion	moda	mode
moderação (a)	(die) Mäßigung, (die) Zurückhaltung	moderation	moderación	modération
momento (o)	(der) Moment	moment	momento	moment
monarquia (a)	(die) Monarchie	monarchy	monarquía	monarchie
montanha (a)	(das) Gebirge	mountain	montaña	montagne
montar	aufbauen	to mount	montar	monter
montra (a)	(das) Schaufenster	shop-window	escaparate	vitrine
monumento (o)	(das) Denkmal	monument	monumento	monument
morada (a)	(die) Anschrift, (die) Adresse	address	dirección	adresse
morar	wohnen	to live	vivir	habiter
mosca (a)	(die) Fliege	fly	mosca	mouche
mostrar	zeigen	to show	enseñar	montrer
mota (a)	(das) Motorrad	motorcycle	moto	moto
motorista (o)	(der) Fahrer	driver	conductor	conducteur, chauffeur
movimento (o)	(die) Bewegung	movement	movimiento	mouvement
muçulmano	(der) Muslime	Muslim	musulmán	musulman
mudança (a)	(die) Änderung, (der) Wechsel	change	cambio, mudanza	changement, déménagement
mudar	ändern, wechseln	to change	cambiar, mudarse	changer, déménager
muito	viel, sehr	very, much	muy	très
muitos	viele	many	muchos	beaucoup
mulher (a)	(die) Frau	woman	mujer	femme
mundial	Welt...	worldwide	mundial	mondial
muralha (a)	(die) Mauer	wall	muralla	muraille
músculo (o)	(der) Muskel	muscle	músculo	muscle
museu (o)	(das) Museum	museum	museo	musée
música (a)	(die) Musik	music	música	musique

GLOSSÁRIO

PORTUGUÊS	DEUTSCH	ENGLISH	ESPAÑOL	FRANÇAIS
música clássica (a)	klassische Musik	classic music	música clásica	musique classique
música popular (a)	(die) Volksmusik	popular music	música popular	musique populaire
músico (o)	(der) Musiker	musician	músico	musicien
nacional	national	national	nacional	national
nacionalidade (a)	(die) Nationalität, (die) Staatsangehörigkeit	nationality	nacionalidad	nationalité
nada	nichts	nothing	nada	rien
nadar	schwimmen	to swim	nadar	nager
namorado (o)	(der) (feste) Freund, (der) Liebhaber	boyfriend	novio	petit-ami
namorar	umwerben, mit jemandem gehen	to court	salir con	sortir avec, avoir une liaison avec quelqu'un
não	nein	no	no	non
nariz (o)	(die) Nase	nose	nariz	nez
nascer	geboren werden	to be born	nacer	naître
nascimento (o)	(die) Geburt	birth	nacimiento	naissance
Natal (o)	(die) Weihnacht	Christmas	Navidad	Noël
natural	natürlich	natural	natural	naturel
navegar	segeln, fahren	to navigate	navegar	naviguer
negócio (o)	(das) Geschäft	business	negocio	affaire
nenhum	kein	no, any, none	ninguno	aucun
neto (o)	(das) Enkelkind	grandchild	nieto	petit-fils
neurologista (a/o)	(der) Neurologe	neurologist	neurólogo	neurologue
nevar	schneien	to snow	nevar	neiger
neve (a)	(der) Schnee	snow	nieve	neige
ninguém	niemand	nobody, no one, anybody, any one	nadie	personne
nível (o)	(das) Niveau	level	nivel	niveau
noite (a)	(der) Abend, (die) Nacht	night	noche	Nuit
nojento	ekelhaft	disgusting, repugnant	asqueroso	dégoûtant
nora (a)	(die) Schwiegertochter	daughter-in-law	nuera	bru
normal	normal	normal	normal	normal
normalmente	normalerweise	usually	normalmente	normalement
norte (o)	(der) Norden	north	norte	nord
notícia (a)	(die) Nachricht	news	noticia	nouvelle
noticiário (o)	(die) Nachrichten	broadcasted news	noticiario, noticias	informations
novamente	wieder	again, once more	de nuevo	à nouveau
novo	neu, jung	new, young	nuevo, joven	nouveau, jeune
nunca	nie	never	nunca	jamais
obediente	gehorsam	obedient	obediente	obéissant
objectivo (o)	(das) Ziel	aim, goal	objetivo	objectif
objecto (o)	(das) Ding, (der) Gegenstand	object	objeto	objet

GLOSSÁRIO

PORTUGUÊS	DEUTSCH	ENGLISH	ESPAÑOL	FRANÇAIS
oceano (o)	(der) Ozean	ocean	océano	océan
óculos (os)	(die) Brille	glasses	gafas	lunettes
ocupado	beschäftigt	busy	ocupado	occupé
ocupar	besetzen, ausfüllen, beschäftigen	to occupy	ocupar	occuper
oficina (a)	(die) Werkstatt	workshop	taller	garage
oftalmologista (a/o)	(der) Augenarzt	ophtalmologist	oftalmólogo	ophtalmo- logiste
olhar	schauen	to look	mirar	regarder
olho (o)	(das) Auge	eye	ojo	œil
ombro (o)	(die) Schulter	shoulder	hombro	épaule
onde	wo	where	donde	où
ondulado	wellig	wavy	ondulado	ondulé
ontem	gestern	yesterday	ayer	hier
opinião (a)	(die) Meinung	opinion	opinión	opinion
ordem (a)	(der) Befehl	order	orden	ordre
orelha (a)	(das) Ohr	ear	oreja	oreille (externe)
organizado	organisiert	organized	organizado	organisé
organizar	organisieren	to organize	organizar	organiser
orientar-se	sich zurechtfinden	to orientate	orientarse	s'orienter
origem (a)	(der) Ursprung	origin	origen	origine
orquestra (a)	(das) Orchester	orchestra	orquesta	orchestre
ortopedista (a/o)	(der) Orthopäde	orthopaedist	ortopedista	orthopédiste
osso (o)	(der) Knochen	bone	hueso	os
otorrinolaringo- -logista (a/o)	(der) Hals-, Nasen-, Ohrenarzt	otorhinolaryn- gologist	otorrino- laringólogo	oto-rhino- laryngologiste
outra vez	ein andermal, noch einmal	again, one more time	otra vez	encore, une autre fois
outro	andere	other, another	otro	autre
ouvido (o)	(das) Ohr	ear (inside)	oído	oreille (interne), ouïe
ouvir	hören	to hear	oír	entendre
ovo (o)	(das) Ei	egg	huevo	œuf
paciência (a)	(die) Geduld	patience	paciencia	patience
paciente	geduldig	patient	paciente	patient
padeiro (o)	(der) Bäcker	baker	panadero	boulanger
padre (o)	(der) Priester	priest	cura	curé
pagar	(be)zahlen	to pay	pagar	payer
pai (o)	(der) Vater	father	padre	père
pais (os)	(die) Eltern	parents	padres	parents
país (o)	(das) Land	country	país	pays
paisagem (a)	(die) Landschaft	landscape	paisaje	paysage
palhaço (o)	(der) Clown	clown	payaso	clown
pão (o)	(das) Brot	bread	pan	pain
paragem (a)	(die) Haltestelle	stop	parada	arrêt
paragem de autocarros (a)	(die) Bushaltestelle	bus stop	parada de autobús	arrêt d'autobus

GLOSSÁRIO

PORTUGUÊS	DEUTSCH	ENGLISH	ESPAÑOL	FRANÇAIS
paraíso (o)	(das) Paradies	paradise	paraíso	paradis
parar	anhalten, halten	to stop	parar	(s') arrêter
parecer	scheinen	to seem	parecer	paraître
parede (a)	(die) Wand	wall	pared	mur
parque (o)	(der) Park	park	parque	parc
parque infantil (o)	(der) Spielplatz	playground	parque infantil	parc pour enfants
parte (a)	(der) Teil	part	parte	part / partie
partida (a)	(der) Start, (die) Abfahrt	starting, departure	partida, broma	départ, blague, partie
partilhar	(ver)teilen	to share	compartir	partager
partir	abfahren, schneiden, brechen	to leave, to go, to break	partir	partir, casser
passadeira (a)	(der) Zebrastreifen	zebracrossing	paso de peatones	passage piétons
passagem (a)	(der) Durchgang	passage	pasaje	passage
passaporte (o)	(der) Reisepass	passport	pasaporte	passeport
passar	verbringen, vergehen, durchqueren	to spend, to pass, to go through	pasar	passer
pássaro (o)	(der) Vogel	bird	pájaro	oiseau
passar-se	sich ereignen	to happen	acontecer	se passer
passatempo (o)	(der) Zeitvertreib	pastime, hobby	pasatiempo	passe-temps
passear	spazieren	to walk	pasear	se promener
passeio (o)	(der) Bürgersteig, (der) Spaziergang, (die) -fahrt	side-walk, walk	paseo, acera	promenade, trottoir
pasta (a)	(die) Mappe (der) Ranzen	briefcase, school bag	carpeta	pochette
pastelaria (a)	(die) Konditorei	cake shop	pastelería	pâtisserie
pastilha (a)	(die) Tablette	pastille	pastilla	pastille
pé (o)	(der) Fuss	foot	pie	pied
pediatra (a/o)	(der) Kinderarzt	paediatrist	pediatra	pédiatre
pedir	bitten	to ask for, to order (in a restaurant)	pedir	demander, commander
pedra (a)	(der) Stein	stone	piedra	pierre
pegar	halten, nehmen	to hold, to catch	coger	prendre
peito (o)	(die) Brust	breast, chest	pecho	poitrine
peixe (o)	(der) Fisch	fish	pez, pescado	poisson
pele (a)	(die) Haut	skin	piel	peau
pêlo (o)	(das) Haar	hair	vello	poil
peludo	haarig	hairy	peludo	poilu
pendurado	hängend	hanged	colgado	pendu, accroché
pensar (em)	denken (an)	to think about	pensar	penser
pequeno	klein	small	pequeño	petit
pequeno-almoço (o)	(das) Frühstück	breakfast	desayuno	petit-déjeuner
perceber	verstehen	to understand	entender	comprendre
percentagem (a)	(der) Prozentsatz	percentage	porcentaje	pourcentage

GLOSSÁRIO

PORTUGUÊS	DEUTSCH	ENGLISH	ESPAÑOL	FRANÇAIS
perder-se	sich verlaufen	to get lost	perderse	se perdre
perfeitamente	ganz recht, perfekt	perfectly	perfectamente	parfaitement
perfeito	perfekt, vollkommen, genau	perfect	perfecto	parfait
pergunta (a)	(die) Frage	question	pregunta	question
perigo (o)	(die) Gefahr	danger	peligro	danger
perigoso	gefährlich	dangerous	peligroso	dangereux
periódico	periodisch, regelmässig	periodic	periódico	périodique
permanente	ständig, dauernd	permanent	permanente	permanent
perna (a)	(das) Bein	leg	pierna	jambe
personalidade (a)	(die) Persönlichkeit	personality	personalidad	personalité
persuasão (a)	(die) Überredung	persuasion	persuasión	persuasion
pertencer (a)	j-m gehören	to belong to	pertenecer	appartenir
peru (o)	(der) Puter, (der) Truthahn	turkey	pavo	dinde
pesar	wiegen	to weigh	pesar	peser
pescador (o)	(der) Fischer	fisherman	pescador	pêcheur
pescar	fischen	to fish	pescar	pêcher
pescoço (o)	(der) Hals	neck	cuello	cou
peso (o)	(das) Gewicht	weight	peso	poids
pessoa (a)	(die) Person	person	persona	personne
piano (o)	(das) Klavier	piano	piano	piano
pijama (o)	(der) Schlafanzug	pyjamas	pijama	pyjama
pintar	malen	to paint	pintar	peindre
pintor (o)	(der) Maler	painter	pintor	peintre
pintura (a)	(die) Malerei	painting	pintura	peinture
piscina (a)	(das) Schwimmbad	swimming-pool	piscina	piscine
pista (a)	(das) Rollfeld, (die) Landebahn	runway	pista	piste
plano (o)	(der) Plan	plan	plano	plan
planta (a)	(die) Pflanze, (der) Stadtplan	plant, plan	planta, plano (de una ciudad)	plante, plan (d'une ville)
pó (o)	(der) Staub, (das) Pulver	dust, powder	polvo	poussière
poder	können, dürfen	to be able, can	poder	pouvoir
polémica	polemisch	polemic	polémica	polémique
polícia (o)	(der) Polizist	policeman	policía	policier
ponto (o)	(der) Punkt	point	punto	point
pôr	setzen, stellen, legen	to put, to put on, to lay	poner	mettre
porque	weil, denn	because	porque	parce que
porta (a)	(die) Tür	door	puerta	porte
porteiro (o)	(der) Hausmeister, (der) Portier, (der) Pförtner	porter	portero	concierge
português	portugiesisch, (der) Portugiese	Portuguese	portugués	portugais
posição (a)	(die) Lage, (die) Stellung, (die) Position	position, situation	posición	position
possibilidade (a)	die Möglichkeit	possibility	posibilidad	possibilité

GLOSSÁRIO

PORTUGUÊS	DEUTSCH	ENGLISH	ESPAÑOL	FRANÇAIS
possivelmente	möglicherweise	possibly, perhaps	posiblemente	possiblement
postal (o)	(die) Ansichtskarte	postcard	postal	carte postale
posto de turismo (o)	(das) Verkehrsbüro Fremden-	travel bureau	oficina de turismo	office du tourisme
pouco	wenig	few, little	poco	peu
poupado	sparsam	economical	ahorrado, ahorrador	économisé, économe
poupar	sparen	to save	ahorrar	économiser
praça (a)	(der) Platz	square, market	plaza	place
praia (a)	(der) Strand	beach	playa	plage
prateleira (a)	(das) Regal	shelf	estante	étagère
praticar	treiben, praktizieren	to practise	practicar	pratiquer
prato (o)	(der) Teller, (das) Gericht	plate, dish	plato	plat, assiette
precisar de	brauchen, müssen	to need	necesitar	avoir besoin
preço (o)	(der) Preis	price	precio	prix
prédio (o)	(das) Gebäude	building	edificio	immeuble
preencher	ausfüllen	to fill in	rellenar	remplir
preferência (a)	(die) Vorliebe	preference	preferencia	préférence
preferido	Lieblings...	favourite	preferido	préféré
preferir	vorziehen	to prefer	preferir	prérérer
prémio (o)	(der) Preis	prize	premio	prix (récompense)
preparar	vorbereiten	to prepare	preparar	préparer
presente (o)	(das) Geschenk	present, gift	presente, regalo	présent, cadeau
primo (o)	(der) Cousin	cousin	primo	cousin
principalmente	hauptsächlich	mainly	principalmente	principalement
privado	privat, persönlich	private, personal	privado	privé
procurar	suchen	to look for, to search	buscar	chercher
professora (a)	(die) Lehrerin	teacher	profesora	professeur
profissão (a)	(der) Beruf	profession	profesión	profession
profissional	beruflich	professional	profesional	professionnel
proibido	verboten	forbidden	prohibido	interdit
pronto	fertig	ready, right	listo	prêt
próprio	selbst	speaking (phone call)	propio	propre
proteger	(be)schützen	to protect	proteger	protéger
provar	probieren	to taste	probar	goûter, prouver
próximo	nächste(r)	next	próximo	prochain
publicidade (a)	(die) Werbung	publicity	publicidad	publicité
público (o)	(das) Publikum	public, audience	público	public
pulseira (a)	(das) Armband	bracelet	pulsera	bracelet
puro	rein	pure	puro	pur
quadro (o)	(das) Bild, (die) Tafel	picture, blackboard, painting	cuadro, pizarra	tableau

GLOSSÁRIO

PORTUGUÊS	DEUTSCH	ENGLISH	ESPAÑOL	FRANÇAIS
qual	welche(r)	which	cual	quel(le)
qualquer	irgendein	any, anybody	cualquier	n'importe quel(le)
quarto (o)	(das) Zimmer	room, quarter	habitación, cuarto	chambre, quart
quase	fast	almost	casi	presque
queijo (o)	(der) Käse	cheese	queso	fromage
quem	wer	who, whom	quien	qui
quente	heiss	hot	caliente	chaud
querer	wollen	to want, to wish	querer	vouloir
querido	liebe(r)	dear	querido	cher
questão (a)	(die) Frage	question	cuestión	question
quilo (o)	(das) Kilogramm	kilogram	kilo	kilo
quinta (a)	das Landgut	farm	finca	ferme
radical	radikal	radical	radical	radical
ramo (de flores) (o)	(der) Blumenstrauß	bunch of flowers	ramo (de flores)	bouquet (de fleurs)
rápido	schnell	quick	rápido	rapide
raro	selten	rare	raro	rare
rato (o)	(die) Maus	mouse	ratón	souris
razoável	vernünftig	reasonable	razonable	raisonnable
reagir	reagieren	to react	reaccionar	réagir
realizar	durchführen	to carry out	realizar	réaliser
receber	bekommen, empfangen	to receive	recibir	recevoir
recepção (a)	(das) Empfangsbüro	reception	recepción	réception
recepcionista (a)	(die) Empfangsdame	recepcionist	recepcionista	réceptioniste
redacção (a)	(die) Redaktion	editorial office	redacción	rédaction
refeição (a)	(die) Mahlzeit	meal	comida	repas
referir	berichten, erwahnen	to refer	referir	faire référence
região (a)	(die) Gegend, (das) Gebiet	region	región	région
registado	eingetragen	registered	registrado	recommandé
registo (o)	(die) Eintragung	register	registro	enregistrement, registre
regressar	zurückkehren	to return, to come back	volver	revenir
relacionar	in Verbindung setzen	to relate, to report	relacionar	mettre en relation
relatório (o)	(der) Bericht	report	informe	rapport
relevante	wichtig, bedeutend	relevant	sobresaliente	remarquable
repelente	abstossend	repellent	repelente	répugnant
repetir	wiederholen	to repeat	repetir	répéter
reportagem (a)	(die) Reportage	report, reporting	reportaje	reportaje
reservado	zurückhaltend, reserviert	shy, reserved	reservado	réservé
reservar	belegen, reservieren	to reserve	reservar	réserver
respeitar	Rücksicht nehmen auf	to respect	respetar	respecter
respirar	atmen	to breathe	respirar	respirer

GLOSSÁRIO

PORTUGUÊS	DEUTSCH	ENGLISH	ESPAÑOL	FRANÇAIS
responder	antworten	to answer	contestar	répondre
responsável	verantwortlich	responsible	responsable	responsable
resposta (a)	(die) Antwort	answer	respuesta	réponse
restaurante (o)	(das) Restaurant	restaurant	restaurante	restaurant
resto (o)	(der) Rest	rest	resto	reste
resultado (o)	(das) Ergebnis	result	resultado	résultat
reunião (a)	(die) Besprechung	meeting	reunión	réunion
reunir	zusammenbringen, (ver)sammeln	to bring together, to meet	reunir	réunir
revelar	offenbaren, entwickeln	to reveal, to develop	revelar	révéler
rever	wiedersehen	to see again	rever	revoir
revista (a)	(die) Zeitschrift	magazine	revista	revue
rio (o)	(der) Fluss	river	río	fleuve, rivière
risca (a)	(der) Streifen	line, stripe	raya	raie, rayure
robe (o)	(der) Bademantel	dressing gown	bata, albornoz	robe de chambre
roda (a)	(das) Rad	wheel	rueda	roue
rodeado	umgeben von	surrounded	rodeado	entouré
roedor	(das) Nagetier	rodent	roedor	rongeur
romano	römisch	Roman	romano	romain
roto	zerlumpt	torn, shabby	desgarrado	déchiré
roupa (a)	(die) Kleidung	clothes	ropa	linge
roupeiro (o)	(der) Kleiderschrank	wardrobe	guardarropa	penderie, armoire
rua (a)	(die) Straße	street	calle	rue
ruínas (as)	(die) Ruinen	ruins	ruinas	ruines
ruivo	rothaarig	redish, red-haired	pelirrojo	roux
russo	russisch, (der) Russe	Russian	ruso	russe
saber	wissen, können	to know	saber	savoir
saco (o)	(die) Tüte, (der) Sack	bag, sack	bolsa	sac
sádico	sadistisch	sadist	sádico	sadique
saia (a)	(der) Rock	skirt	falda	jupe
sair	weg-,ausgehen, herauskommen	to go out	salir	sortir
sala (a)	(das) Wohnzimmer, (der) Saal	living-room	salón	salle
salada (a)	(der) Salat	salad	ensalada	salade
salário (o)	(der) Lohn	wage, salary	salario	salaire
sandálias (as)	(die) Sandalen	sandals	sandalias	sandales
sandes (a)	(das) belegte Brot	sandwich	bocadillo	sandwich
sangue (o)	(das) Blut	blood	sangre	sang
sanita (a)	(die) Kloschüssel	w.c.	taza del water	cuvette des wc
sapataria (a)	(das) Schuhgeschäft	shoeshop	zapatería	magasin de chaussures
sapato (o)	(der) Schuh	shoe	zapato	chaussure
saudável	gesund	healthy	saludable	sain

GLOSSÁRIO

PORTUGUÊS	DEUTSCH	ENGLISH	ESPAÑOL	FRANÇAIS
Sé (a)	(die) Kathedrale	cathedral	Catedral	Cathédrale
se calhar	vielleicht	perhaps	a lo mejor	peut-être
secção (a)	(die) Abteilung	department (shop/store)	sección	rayon
secretária (a)	(die) Sekretärin, (der) Schreibtisch	secretary, desk	secretaria	secrétaire
seguinte	folgende(r)	next, following	siguiente	suivant
seguir	folgen	to follow	seguir	suivre
seguradora (a)	(Die) Versicherungs- gesellschaf	insurance company	compañia de seguros	compagnie d'assurances
segurança (a)	(die) Sicherheit	security	seguridad	sécurité
seleccionar	auswählen	to select	seleccionar	sélectionner
selo (o)	(die) Briefmarke	stamp	sello	timbre
selvagem	wild	wild	salvaje	sauvage
sem	ohne	without	sin	sans
semáforo (o)	(die) Verkehrsampel	traffic lights	semáforo	feu de signalisation
semana (a)	(die) Woche	week	semana	semaine
semanário (o)	(die) Wochenzeitung	weekly publication	semanario	hebdomadaire
semelhante	ähnlich	similar	semejante	semblable
sempre	immer	always	siempre	toujours
senhor (o)	(der) Herr, Sie (Anrede)	you, mister (Mr.)	señor	monsieur
senhora (a)	(die) Frau, Sie, (die) Dame	you, madam (Mrs.)	señora	dame, madame
sensação (a)	(das) Gefühl	sentation, feeling	sensación	sensation
sensível	empfindlich	sensible	sensible	sensible
sentar-se	sich setzen	to sit down	sentarse	s'asseoir
sentir	empfinden, spüren	to feel	sentir	sentir
sentir-se	sich fühlen	to feel	sentirse	se sentir
ser	sein	to be	ser	être
sério	ernst	serious	serio	sérieux
serra (a)	(das) Gebirge	mountains	sierra	montagne
serviço (o)	(der) Dienst, (die) (Dienstelle)	service, work	servicio	service
servir	dienen, passen	to serve	servir	servir
sexo (o)	(das) Geschlecht	sex	sexo	sexe
simpático	nett, sympathisch	nice, kind, friendly	simpático	sympathique
sinceramente	ehrlich	sincerely	sinceramente	sincèrement
sintoma (o)	(das) Symptom	symptom	síntoma	symptôme
sistema nervoso (o)	(das) Nervensystem	nervous system	sistema nervioso	système nerveux
só	allein, nur	only, alone	sólo	seulement, seul
sobrancelha (a)	(die) Augenbraue	eyebrow	ceja	sourcil
sobremesa (a)	(der) Nachtisch	dessert	postre	dessert
sobrinho (o)	(der) Neffe	nephew	sobrino	neveu
social	sozial, gesellschaftlich	social	social	social

GLOSSÁRIO

PORTUGUÊS	DEUTSCH	ENGLISH	ESPAÑOL	FRANÇAIS
sociável	gesellig	sociable	sociable	sociable
sociedade (a)	(die) Gesellschaft	society	sociedad	société
sofá (o)	(das) Sofa	sofa	sofá	canapé
sofrer	leiden	to suffer	sufrir	souffrir
sogro (o)	(der) Schwiegervater	father-in-law	suegro	beau-père
sol (o)	(die) Sonne	sun	sol	soleil
solteiro	ledig	single	soltero	célibataire
soma (a)	(die) Summe	sum	suma	somme
sopa (a)	(die) Suppe	soup	sopa	soupe
sossego (o)	(die) Ruhe	quietness, calm	sosiego	tranquilité
sozinho	allein	alone	solo	seul
subir	steigen, hinaufgehen	to go up	subir	monter
substituir	ersetzen	to replace	sustituir	remplacer
sujo	schmutzig	dirty	sucio	sale
sumo de laranja (o)	(der) Orangensaft	orange juice	zumo de naranja	jus d'orange
supermercado (o)	(der) Supermarkt	supermarket	supermercado	supermarché
surpresa (a)	(die) Überraschung	surprise	sorpresa	surprise
talher (o)	(das) Besteck	cover	cubierto	couvert
talvez	vielleicht	perhaps	talvez	peut-être
tamanho (o)	(die) Grösse	size	tamaño	taille
também	auch	also, too	también	aussi
tanto	so sehr	so much	tanto	tant, autant
tão	so+adj., so sehr	so, as	tanto	tant, si
tarde	spät	late	tarde	tard
tarde (a)	(der) Nachmittag, (der) Abend, nachmittags, abends	afternoon	tarde	après-midi
tartaruga (a)	(die) Schildkröte	turtle	tortuga	tortue
taxa (a)	(die) Gebühr,	rate	taxa	taxe
taxista (o)	(der) Taxifahrer	taxi driver	taxista	chauffeur de taxi
teatro (o)	(das) Theater	theatre	teatro	théâtre
tecido (o)	(der) Stoff	cloth	tejido	tissu
teimoso	eigensinnig, stur	stubborn	testarudo	têtu
telefonar	anrufen	to call, to telephone	telefonear	téléphoner
telefonema (o)	(der) Anruf	call	llamada telefónica	appel téléphonique
telegrama (o)	(das) Telegramm	telegram	telegrama	télégramme
telemóvel (o)	(das) Handy	mobile	móbil (teléfono)	portable (téléphone)
televisão (a)	(das) Fernsehen	television	televisión	télévision
tema (o)	(das) Thema	matter, subject	tema	thème
temperatura (a)	(die) Temperatur	temperature	temperatura	température
templo (o)	(der) Tempel	temple	templo	temple
tempo (o)	(das) Wetter, die Zeit	weather, time	tiempo	temps
tenda (a)	(das) Zelt	tent	tienda de campaña	tente

GLOSSÁRIO

PORTUGUÊS	DEUTSCH	ENGLISH	ESPAÑOL	FRANÇAIS
ténis (o)	(das) Tennis	tennis	tenis	tennis
ténis (os)	(die) Turnschuhe	tennis shoes	zapatillas de deporte	tennis, les baskets
tensão arterial (a)	(der) Blutdruck	blood pressure	tensión arterial	tension artérielle
ter	haben	to have	tener	avoir
ter de	müssen	to have to	tener que	devoir
ter um bebé	ein Kind bekommen	to have a baby	tener un bebé	avoir un bébé
terminar	enden, aufhören	to finish, to stop	terminar	terminer
testar	(nach)prüfen, testen	to verify, to test	someter a una prueba	tester
teste (o)	(der) Test	test	test, prueba	test
tigela (a)	(die) Schüssel	bowl	tazón	bol
tigre (o)	(der) Tiger	tiger	tigre	tigre
tímido	schüchtern	shy	tímido	timide
tio (o)	(der) Onkel	uncle	tío	oncle
tipicamente	typisch	typically	tipicamente	typiquement
típico	typisch	typical	típico	typique
tipo (o)	(der) Typ, (die) Art	type, kind	tipo	type
toalha (a)	(das) Handtuch	towel	toalla	serviette
tocar	berühren	to touch, to play	tocar	toucher, jouer (instrument)
todo	ganz	whole	todo	tout
todos	alle	all	todos	tous
toldo (o)	(das) Sonnendach	sun blind	toldo	bâche
tomar	nehmen	to take	tomar	prendre
torrada (a)	(das) Toast	toast	tostada	tartine
tosse (a)	(der) Husten	cough	tos	toux
totalmente	total, völlig	completely	totalmente	totalement
tourada (a)	(der) Stierkampf	bullfight	corrida	corida
toureiro (o)	(der) Stierkämpfer	bullfighter	torero	torero
touro (o)	(der) Stier	bull	toro	taureau
trabalhador	fleissig	worker, hard-working	trabajador	travailleur
trabalhar	arbeiten	to work	trabajar	travailler
trabalho (o)	(die) Arbeit	work	trabajo	travail
traçar	zeichnen	to trace	trazar	tracer
tradição (a)	(die) Tradition	tradition	tradición	tradition
tradicional	traditionell	traditional	tradicional	traditionnel
tranquilo	ruhig	calm, still	tranquilo	tranquille
transparente	durchsichtig	transparent	transparente	transparent
transporte (o)	(der) Transport	transportation	transporte	transport
tratar	behandeln, pflegen	to treat, to handle, take care	tratar	s'occuper, traiter, soigner
trazer	(her) bringen, mitbringen	to bring	traer	apporter, amener
treinar	trainieren (Sport)	to train	entrenar descambiar	s'entraîner changer

GLOSSÁRIO

PORTUGUÊS	DEUTSCH	ENGLISH	ESPAÑOL	FRANÇAIS
trocar	(aus) tauschen, wechseln	to exchange, to change	cambiar	échanger
tudo	alles	everything	todo	tout
último	letzte(r)	last	último	dernier
unha (a)	(der) Nagel	nail	uña	ongle
único	einzig	unique, only	único	seul, unique
Universidade (a)	(die) Universität	University	universidad	université
uns	einige	some	unos	les uns
uns aos outros	gegenseitig	each other	los unos a los otros	les uns aux autres
usar	benutzen, nutzen	to use	usar	utiliser
útil	nützlich	useful	útil	utile
utilidade (a)	(die) Nützlichkeit	usefulness	utilidad	utilité
utilizador (o)	(der) Benutzer	user	utilizador	utilisateur
utilizar	benutzen	to use	utilizar	utiliser
vaca (a)	(die) Kuh	cow	vaca	vache
vantagem (a)	(der) Vorteil	advantage	ventaja	avantage
varanda (a)	(der) Balkon	balcony	balcón	balcon
vários	verschiedene	several	varios	plusieurs
vazio	leer	empty	vacío	vide
velho	alt	old	viejo	vieux
vender	verkaufen	to sell	vender	vendre
vento (o)	(der) Wind	wind	viento	vent
ver	sehen	to see	ver	voir
vestido (o)	(das) Kleid	dress	vestido	robe
vestir (-se)	(sich) anziehen	to get dressed	vestirse	s'habiller
vez (a)	(das) Mal	turn	vez	fois, tour
viagem (a)	(die) Reise	journey, trip	viaje	voyage
viajar	reisen	to travel	viajar	voyager
vila (a)	(die) Kleinstadt	village, town	pequeña ciudad	petite ville
vindima (a)	(die) Weinlese	grape-gathering	vendimia	vendange
vinho (o)	(der) Wein	wine	vino	vin
vir	kommen	to come	venir	venir
virar	abbiegen, sich wenden	to turn	girar	tourner
visitar	besuchen	to visit	visitar	visiter
viver	leben	to live	vivir	vivre
vizinho (o)	(der) Nachbar	neighbour	vecino	voisin
você	Sie, Du	you	usted	vous
voltar	zurückkommen, abbiegen	to return	volver	revenir, rentrer
voz (a)	(die) Stimme	voice	voz	voix
zangado	böse	angry	enfadado	fâché
zebra (a)	(das) Zebra	zebra	zebra	zèbre
zona (a)	(die) Gegend, (die) Zone	area, place	zona	zone

EXPRESSÕES

PORTUGUÊS	DEUTSCH	ENGLISH	ESPAÑOL	FRANÇAIS
à direita	rechts	on the right	a la derecha	à droite
à esquerda	links	on the left	a la izquierda	à gauche
a favor	zugunsten	on behalf of	en pro de	en faveur
à noite	abends, nachts	at night, in the evening	por la noche	le soir, la nuit
a pé	zu Fuss (gehen)	on foot, to walk	a pie	à pied
a sério	ernst	seriously	en serio	sérieusement
à tarde	nachmittags	in the afternoon	por la tarde	l'après-midi
além disso	ausserdem	besides (that)	además	en plus
antes de	bevor	before	antes de	avant
ao lado de	neben	next to	al lado de	à côté de
ao longo de	längs (gen.), entlang	along	a lo largo de	au long de
às vezes	manchmal	sometimes	a veces	quelquefois
atender o telefone	abnehmen (Telefon)	answer the phone	coger el teléfono	répondre au téléphone
atrás de	hinter	behind	detrás de	derrière
dar os parabéns	gratulieren	to congratulate	felicitar	féliciter, souhaiter bon anniversaire
dar um passeio	spazieren gehen	to go for a walk	dar una vuelta	faire un tour
de facto	tatsächlich	in fact, indeed, really, actually	de hecho	en fait
de manhã	morgens	in the morning	por la mañana	le matin
de onde	woher, woraus	where from	de donde	d'où
debaixo de	unter	under	debajo de	sous
depois de	nach	after	después de	après
o dia a dia	der Alltag	daily	el día a día	le quotidien
em cima de	auf	on	encima de	sur
em frente de	gegenuber	ahead, in front of	en frente de	en face de
fazer anos	Geburtstag haben	to have birthday	cumplir años	faire son anniversaire
fazer compras	einkaufen	to go shopping	hacer compras	faire des courses
fazer parte de	gehören zu	to belong to	hacer parte de	faire partie de
fazer um favor	einen Gefallen tun	to do a favour	hacer un favor	rendre un service
ir às compras	einkaufen gehen	to go shopping	ir de compras	aller en courses
ir ter com	sich treffen mit	to meet someone	juntarse con	retrouver
levantar a mesa	den Tish abräumen	to clear the table	quitar la mesa	débarrasser la table
o livro aos quadradinhos	Comic	comic strips	historieta	bande dessinée
pedir emprestado	ausleihen	to borrow	pedir prestado	emprunter
pelo contrário	im Gegenteil	on the contrary	al contrario	au contraire
a pensão completa	Vollpension	all meals included	la pensión completa	la pension complète
pôr a mesa	den Tisch decken	to lay the table	poner la mesa	mettre la table

EXPRESSÕES

PORTUGUÊS	DEUTSCH	ENGLISH	ESPAÑOL	FRANÇAIS
por acaso	zufällig	by chance	por casualidad	par hasard
por exemplo	zum Beispiel	for instance	por ejemplo	par exemple
por isso	deswegen	for that reason	por eso	c'est pour ça que
por volta de	ungefähr, etwa	around	hacia	vers
ter cuidado	aufpassen	to be careful	tener cuidado	faire attention
ter saudades de	vermissen	to miss	echar de menos	avoir la nostalgie de
tomar o pequeno-almoço	Frühstück nehmen	to have breakfast	desayunar	prendre le petit-déjeuner

VERBOS
PRESENTE DO INDICATIVO/PRETÉRITO PERFEITO SIMPLES

			Eu	Tu	Você Ele/ELa o Sr. /a Sra.	Nós	os Srs. /u...
VERBOS REGULARES	FalAR	P.I.	FalO	as	a	amos	am
	BebER		BebO	es	e	emos	em
	AbrIR		AbrO	es	e	imos	em
	AR	P.P.S.	ei	aste	ou	ámos	aram
	ER		i	este	eu	emos	eram
	IR		i	iste	iu	imos	iram
DAR		P.I.	dou	dás	dá	damos	dão
		P.P.S.	dei	deste	deu	demos	deram
ESTAR		P.I.	estou	estás	está	estamos	estão
		P.P.S.	estive	estiveste	esteve	estivemos	estiveram
DIZER		P.I.	digo	dizes	diz	dizemos	dizem
		P.P.S.	disse	disseste	disse	dissemos	disseram
FAZER		P.I.	faço	fazes	faz	fazemos	fazem
		P.P.S	fiz	fizeste	fez	fizemos	fizeram
TRAZER		P.I.	trago	trazes	traz	trazemos	trazem
		P.P.S.	trouxe	trouxeste	trouxe	trouxemos	trouxeram
HAVER		P.I.			há		
		P.P.S.			houve		
LER		P.I.	leio	lês	lê	lemos	lêem
		P.P.S.			REGULAR		
VER		P.I.	vejo	vês	vê	vemos	vêem
		P.P.S.	vi	viste	viu	vimos	viram
PERDER		P.I.	perco	perdes	perde	perdemos	perdem
		P.P.S.			REGULAR		
PODER		P.I.	posso	podes	pode	podemos	podem
		P.P.S.	pude	pudeste	pôde	pudemos	puderam
QUERER		P.I.	quero	queres	quer	queremos	querem
		P.P.S.	quis	quiseste	quis	quisemos	quiseram
SABER		P.I.	sei	sabes	sabe	sabemos	sabem
		P.P.S.	soube	soubeste	soube	soubemos	souberam
SER		P.I.	sou	és	é	somos	são
		P.P.S.	fui	foste	foi	fomos	foram
TER		P.I.	tenho	tens	tem	temos	têm
		P.P.S.	tive	tiveste	teve	tivemos	tiveram
VIR		P.I.	venho	vens	vem	vimos	vêm
		P.P.S.	vim	vieste	veio	viemos	vieram
DORMIR		P.I.	durmo	dormes	dorme	dormimos	dormem
		P.P.S.			REGULAR		
IR		P.I.	vou	vais	vai	vamos	vão
		P.P.S.	fui	foste	foi	fomos	foram
OUVIR		P.I.	ouço	ouves	ouve	ouvimos	ouvem
		P.P.S.			REGULAR		
PEDIR		P.I.	peço	pedes	pede	pedimos	pedem
		P.P.S.			REGULAR		
SAIR		P.I.	saio	sais	sai	saímos	saem
		P.P.S.	saí	saíste	saiu	saímos	saíram
SERVIR		P.I.	sirvo	serves	serve	servimos	servem
		P.P.S.			REGULAR		
SUBIR		P.I.	subo	sobes	sobe	subimos	sobem
		P.P.S.	subi	subiste	subiu	subimos	subiram
PÔR		P.I.	ponho	pões	põe	pomos	põem
		P.P.S.	pus	puseste	pôs	pusemos	puseram
HAVER DE*	AUX.		hei-de	hás-de	há-de	havemos de	hão-de

*Exemplo: HAVER DE + INFINITIVO   "Eu hei-de ser médico"
          IR + INFINITIVO   "Eu vou ser médico"

PRETÉRITO IMPERFEITO

		Eu	Tu	Você Ele/ELa o Sr. /a Sra.	Nós	Vocês Eles/ELas os Srs. /as Sras.
VERBOS REGULARES	AR	ava	avas	ava	ávamos	avam
	ER	ia	ias	ia	íamos	iam
	IR	ia	ias	ia	íamos	iam
SER	Imp.	era	eras	era	éramos	eram
TER	Imp.	tinha	tinhas	tinha	tínhamos	tinham
VIR	Imp.	vinha	vinhas	vinha	vínhamos	vinham
PÔR	Imp.	punha	punhas	punha	púnhamos	punham

AGRADECIMENTOS

- *Filipe Ribeiro, pela disponibilidade, incentivo e apoio que sempre deu ao longo da elaboração deste trabalho*
- *Drª Helena Bárbara Marques Dias, pelo apoio dado na elaboração deste trabalho*
- *União Lisboa, pela autorização de reprodução da fotografia do Grupo Madredeus*
- *Oceanário, pelas fotografias que gentilmente dispensaram*
- *Guia Turístico do Norte, pelo mapa da cidade de Évora*
- *Clip Arte Design, Comunicação e Imagem, pelo mapa da cidade de Lisboa*
- *Metropolitano de Lisboa, pelo mapa da linha de metro*

CD-ÁUDIO

Tempo total de gravação: **52 minutos**